젊음의 시선을 사로잡는 발자취

홉킨스로 문득 찾아오신 아버지

현철수 지음 | 현슬아 그림

홉킨스로 문득 찾아오신 아버지

1판 1쇄 발행	2021년 1월 25일
1판 2쇄 발행	2021년 3월 25일

지은이	현철수
발행인	이선우
펴낸곳	도서출판 선우미디어

등록 │ 1997. 8. 7 제305-2014-000020호
130-100 서울시 동대문구 장한로12길 40. 101동 203호
☎ 2272-3351, 3352 팩스: 2272-5540
sunwoome@hanmail.net
Printed in Korea ⓒ 2021. 현철수

값 15,000원

ISBN 978-89-5658-655-7 03810

의학박사 현철수의
젊음의 시선을 사로잡는 발자취

홉킨스로
문득 찾아오신
아버지

선우미디어 sunwoomedia

Prologue

༄

    교육은 학문을 배우고 인격 향상을 도모하기 위함이다. 동서 고금을 막론하고 어느 사회에서나 교육은 항상 중요한 이슈였다. 대부분의 한국 부모들은 자녀교육에 모든 것을 투자하는 것을 당연시하고 있다. 불타는 교육열은 초등학교 1, 2학년 어린아이들을 먼 외국에까지 영어 캠프를 보내거나 조기 유학을 보내기도 한다. 치열한 대학입시에 대비해 중학교 때부터 머리를 싸매고 학교 공부와 과외 학습에 몰두하는 게 한국의 현실이다.

    나만 보더라도 그렇다. 우리 주위의 많은 사람들과 다를 것 없이 나의 부모님도 자녀교육을 위해 한국을 떠나왔다고 해도 과언이 아니다. 나는 한국에서 초등학교를 졸업하고 대만과 일본에서 중·고등학교에 다녔다. 그리고 1973년 존스 홉킨스대학교에 발을 디디면서 미국에서의 나의 대학여행은 시작되었다. 이런 책을 한번 써보고 싶은 마음은 꽤 오래되었다. 대만과 일본에서 보낸 청소년 시절을 비롯하여, 미국 대학 학부, 대학원, 의과 대학, 인턴쉽, 그리고 전공의 과정 등 나의 체험들을 소개하고자 한다. 이제까지의 나의 경험과 식견이 해외에서 수학하고 있는 한인 후배들에게는 물론 자녀들의 유학을 걱정하는 부모님들에 게도 도움이 되길 바란다. 이 책을 통해 부모의 미국대학교육에 대한 이해도가 높아진다면, 자녀와 부모 간에 생길 수 있는 생각 의 차이와 그로 인한 갈등과 오해는 자연히 줄어들 것이다.

또한 이 책에는 일련의 교육과정을 마치고 사회에 나가 일할 때 의 경험들을 소개하면서 장차 우리 젊은이들이 글로벌 코리언으로 어떻게 자신의 앞날을 계획하면 좋을지에 대한 생각도 실려 있다. 이러한 내용은 특히 한국의 많은 청년들이 세계로 진출하고 있는 현시점에 도움이 되리라 생각한다. 역동적이고 다양한 글로벌 환경 에 적응해야 하는 우리 자녀들이 모든 교육을 마치고 사회인으로 나아가 각자의 일터에서 체득해야 할 것들이 과연 무엇인지, 그리 고 한국인으로서 정립해야 할 정체성과 세계관은 어떠해야 하는지 에 대해 나누고자 한다.

5년 전에 어머니가 돌아가셨다. 어머니께서 생전에 입버릇처 럼 하시던 말씀이 생각난다. "내가 쓰고 싶은 책이 있는데… 내 생각들의 모음을 꼭 써야 하는데… 슬아(손녀)가 성장하면 내가 직접 들려줄 수 없을 테니…." 날로 기력이 떨어지는 상황에서 글을 쓰기는 힘드셨던 것 같다. 옆에서 쓰실 수 있도록 도와드리지 못한, 나의 게으름과 무심함이, 자식된 도리를 못한 나 자신이 무척 후회스럽다. 그 몇 해 후에 돌아가신 장모님도 같은 생각을 하셨을 것 같다. 세상의 모든 부모님들도 다 같은 생각을 하시지 않을까. 그 분들이 무엇을 쓰고자 했는지 확실히 알 수는 없지만, 이 책에 담은 나의 이야기들이 세상의 부모들이 다음 세대에게 하고 싶은 이야기로, 조금이나마 전달되기를 희망한다. 그런 간절한 마음으로 이 책을 하늘나라에 계신 부모님께 드린다.

이 책을 쓰면서 나는 정말 즐거웠다. 한국을 떠난 지 50년이 넘는 내 삶의 길을 더듬어 보는 귀한 추억 여행의 시간이었다. 그림으로 동참해 준 슬아 덕에 과거로의 이 여행은 더욱 산뜻하고 뜻깊었다. 책에 들어갈 그림을 그려줄 화가나 삽화가를 찾아 여기저기 수소문하는 나의 마음을 헤아려 "아빠, 내가 그려볼까?" 하면서 다가온 슬아가 고맙고 사랑스러웠다. 이야기를 배경으로 그림을 디자인하는 과정에서 슬아와 내가 나눈 많은 이야기는 우리 가족 모두에게 깊이 간직될 것이다. "결과보다 과정이 더 중요하다."라고 했던가? 우리들의 삶 그리고 가족에 대한 사랑이 이 책을 통해서 조금이나마 배어날 수 있기를 바랄 뿐이다.

이 책은 아내와 슬아, 나의 모든 스승들과 벗들, 그리고 미국의 대학 커뮤니티에 감사하는 나의 마음의 일부라고도 할 수 있다. 지난 삶의 경험을 돌아보며 이러한 글을 쓰는 과정들이야말로 정말 값진 체험이 아닐 수 없었다. 또한 앞으로의 삶과 목표를 재조준해 보는 의미도 크다. 지난날을 돌이켜보면 감사할 수밖에 없는 일들의 연속이었다. 이 책에 다 쓰지는 못했지만 여러 차례 수렁에 빠진 듯한 순간에 어떻게 거기서 헤쳐 나왔는지… 이 기적 같은 일들을 내게 이루어 주신 하나님께 감사할 수밖에 없다.

뉴욕 펠리세이즈에서

2020년 12월

빛으로 쌓은 견고한 성(城)

김정기 | 시인

　현철수 박사님의 책에는 체험담도 있지만, 서사가 서정 속에 녹아있는 글을 구현해내는 뛰어난 언어 조탁력과 진정성을 보여 주고 있다. 환경이 주는 울림이 모여져서 더욱 강력해진 자신만의 이야기를 체험으로 선보이는 감정을 밀도 있게 싣고 마지막까지 긴장을 놓지 않는 언행 등 틈새 없이 정리되어 있다.

　필자는 그동안 위장내과 현 박사님을 주치의로 만나면서 신뢰감을 가지게 되었고, 친절하고 따뜻한 명의임을 익히 알고 있다. 책 한 권 분량의 글에는 물론 지나온 발자국을 완성해 나가는 동시에 글의 어조는 나지막하지만 단호하고 명료하다.

　그는 초등학교 졸업 후 아버님의 직장을 따라 외국에서 교육을 받으면서 마음속에 조국과 모국어를 놓지 않고 꿈과 희망이라는 삶의 빛을 품고 치열한 자기 인식이 배면에 깔려있는 조용한 노력형의 소년이었다. 올곧게 자리 잡은 소재로 이룩한 학업과 구어체의 다정한 문장들로 육화되어 흡인력 있게 읽힌다. 긍정적 사유에서 오히려 적극적 상상력을 통해 이채로운 이미지들을 빚어낸다. 섬세한 관찰과 결합하여 예감하는 성실한 학생으로 우뚝 솟아 외국 학생들이 모인 해외 고등학교를 수석으로 졸업하는 영광도 겸손히 표현했다.

"대만과 일본에서 보낸 청소년 시절을 비롯하여, 미국 대학 학부, 대학원, 의과대학, 인턴쉽, 그리고 전공의 과정 등 나의 체험들을 소개하고자 한다."고 '들어가는 글'에 진술하고 있다. 어려서 외국으로 다니면서 공부하는 과정들이 세밀하게 리서치한 아름다운 에세이를 읽는 느낌이었다. 특별히 미국 각지나 유럽 등에서 공부하고 있는 자녀를 둔 부모님들에게 반드시 권해 드리고 싶은 '합킨스로 문득 찾아오신 아버지'라는 명제의 자전 에세이집이 탄생됨을 축하드린다. 제재만 보아도 목이 메는 가족에 대한 간절한 사랑이 담겨있는 아주 건강한 글이다. 작가는 이 책을 통해 인생의 갈피갈피가 놀라운 순간으로 채워져 있다는, 단순하지만 값지고 분명한 사실을 일깨워준다. 순차적으로 진행되는데 서로 갈등하는 대학생활의 낯섦과 속마음을 보는 것이나 공유한 과거를 기억하는 장치가 독자에게 간접체험의 새로운 즐거움은 부드럽고 감미로운 선물로 다가오고 있다. 많은 이들이 삶의 방향을 수정하는 저마다 서 있는 자리에서 자기 자신답게 살라는 말이 실현되는 현장이다.

이 책은 함께 이민의 길을 걷고 있는 우리들의 일상에서 접하는 건강 문제 등 많은 일들을 어렵지 않게 상대방의 가슴속에 각인해 준다. 저자는 세상을 긍정적이고 총명하게 바라보고 글 속에는 우리가 겪을 수 있는 일상이 같아서 편안한 마음을 갖도록 기회를 준다.

현철수 박사님은 우리들의 삶 속에서도 찾아볼 수 없는 새롭고 진실하고 희망이 있는 모습을 덧칠하지 않은 밑그림 그대로 순명한 사랑의 메시지를 주옥같이 담고 있다. 아무도 세상에서 더 이상 묻지 않는 물음과 무릇 생명이 있는 것들의 고통 속에도 길이 있고 물속의 사막을 연상케 하는 싱그러움이 영상으로 상영해 주고 있다. 물론 우리가 놓치기 쉬운 정보나 세상이야기도 있다. 책 속으로 투입 시키는 정겹고 눈부신 그의 모습과 만날 수 있었다. 그는 늘 깨어있으며 참다운 삶의 절정을 발견하는 황홀을 문체에서 서슴없이 보여주고 도착한 말들이 모여서 독자의 실질적 감수성까지 돌보고 있다.

특별히 우리는 미 대륙이라는 사막 아닌 사막에서 살아야 하는 이민자다. 현철수 박사님은 뉴욕을 사랑하고 이 엄청난 문화와 정서를 섭렵하며 누리고 있다. 이 책은 도시가 갖추고 있는 예술적 매력과 함께 실질적인 의학에 대한 본질이 정착되고 수많은 난제를 헤쳐나갈 길을 열어주는 필독서다.

그러나 틀에 맞추거나 경직된 내용은 거의 없다. 때로는 우리가 놓치기 쉬운 특별난 해결책도 마련돼 있다. 작가의 글들이 스쳐 지나가는 바람, 풍경, 함께 있는 사람들, 가을 저녁에 내리는 노을 등을 살펴보다가 낚아채서 글 속으로 투영시키는 감성적이고 정겨운 모습과 만날 수 있었다. 인생의 찬란함을 느끼기 위해서 그리 거창한 것이 필요하지 않다는 아주 독특한 뉘앙스들이 결집된 문학적인 글이다. 조금은 거리를 두고 인생을 관조하는 나이에 이르러 삶을 활기차게 가꾸고 찬미할 수 있게 된 작가의 진정성을 독자에게 전달한다. 성취는 순간이 아닌 영구함으로 채워져 있다는, 단순하지만 분명한 사실을 일깨워준다. 미국에서 모든 과정을 끝낸 의사로서 고국의 언어를 부릴 줄 아는 유려한 문장에 매료되어 완독하고 가슴이 뭉클하다.

타이베이 시절, 쟌리와 역사 논쟁 중에서 특히 광개토대왕릉비가 있는 지안시를 비롯해 언쟁할 때 주먹만 오가지 않았지, 불꽃 튀는 영토 전쟁을 연출한 모습에서 애국자 현 박사님을 우러러보곤 하였다. 홉킨스 대학 시절에도 조국에 대한 애국심과 독자의 마음을 서늘하게 사로잡는 호소력으로 우리나라 역사의 진실을 밝히며 발설하는 대목에서도 함께 흥분했고 노아와 로버트

-합킨스의 공부벌레들—중에도 절제된 편린들이 작품 안에 묻어 나는 마찬가지 격이었다 한민족의 얼과 전통을 동시에 보는 조용한 떨림을 경험했다.

언어의 속도감이나 현란한 비유의 기술에서 비켜선 채 소박하지만 단단한 우리 겨레의 잊힌 뒤안길에 길을 내주는 감동도 깊다. 장학금과 학비보조(Loan) 등으로 어려웠던 대학생활에도 박제된 세월을 살아나게 하는 경험, 일생에 한 번쯤 경험하는 광야를 벗어나는 지혜로운 용모가 빛이 난다.

로체스터대학교(University of Rochester) 대학원의 생물리학 박사반으로 들어가서 "1978년 가을, 처음 만난 아내는 뉴욕 롱아일랜드에서 고등학교를 졸업하고 로체스터대학교로 입학해온 freshman이었다. 얼굴이 약간 동그랗고 해맑은 표정을 지닌, 때가 묻지 않은 청순한 모습으로 다가왔던 그때의 아내의 모습은 지금도 생생하다."(「사과의 향기로 맺은 인연」 중에서)

인연을 맺는 것처럼 소중한 일은 없다. 인연은 그만큼 우리에게 든든한 힘을 실어 준다. 특별히 우리는 미 대륙이라는 광활한 땅에서 살아야 하는 이민자로 하나님의 손길이 귀한 만남을 허락하셨다. 그 아내와 서로의 정서를 다듬어가며 안락하고 복된 가정을 누리고 있다. 열심히 살뜰하게 살아내고 느끼고 맞서 이룬 그 용기와 성실이 눈물겹다. 이 책으로 인하여 독자들은 그가 지닌 태양 같은 시선에 묶여 한 치씩 쌓아가는 높다란 성을 발견할 것이라 확신한다. 살아가면서 병원도 집도 꿈속 같은 설계로 건축가 아내와의 동행에서 이루어진 열매다. 그는 결혼하고 일상에서도 관찰력은 늘 활활 타오르는 횃불 같은 것이어서 아무리 어둠에 묻혀 있는 세미한 것이라 해도 반드시 찾아내고 마는 끈기, 그리고 그것의 가치를 드러내기 위해 들이는 부단한 노력과 긍정적인 사고방식으로 환원하였다. 우리가 살아가면서 이런 책을 만나는 인연의 끈도 빛의 가능성을 만들게 되는 행운이다.

현철수 박사는 먼저 연구 과정을 완료하고 남보다 5년 늦게 의사가 되었다 한 계단씩 다져온 젊은 날의 과정을 경이롭게 묘사한 모국어 감각과 탄력에 몇 번이나 감탄하며 탁월한 호소력에 침전되곤 하였다. 그의 뛰어난 글은 사소한 일들에 상처받지 않고 좀 더 의연하게 독자를 성장시키기 위한 통찰을 보여준다. 언어에 대한 일반적인 통념에서 벗어나 자신을 위한 삶의 방향성이 이웃과 동포를 위해서 선명해진 경우도 많이 발견되었다. 우리가 어떤 기준과 프레임에 갇혀 스스로를 잃어가고 있다는 생각이 든다면, 나를 자꾸만 붙잡는 사소한 사연에 대해 한 번 깊이 생각해 보게 한다. 머릿속을 맴도는 어휘들을 냉철하게 관찰하고 이에 대한 자신만의 정의를 내리는 것만으로도 복잡하고 어수선했던 마음이 조금씩 정돈될 수 있는 비법을 이 책은 방향 제시해 주고 있다.

아버지의 생애는 이렇게 끝나는 건가? 허무하기 짝이 없다는 생각을 금할 수 없었다. 한국에서 한창 잘 나가는 직장에 사표를 내던지고, 자식들 위해서 앞길이 확실치 않은 미국 이민 길을 택하셨던 아버지, 늘 재정에 쪼들리면서도 뭔가를 아들에게 해주고 싶은데 해 줄 수가 없다는 듯 미안해하셨던 아버지. "공부하는데 필요한 거 뭐 없니? 미안하구나. 내가 넉넉지 못해서." "괜찮아요, 학교에 있으니까 돈도 필요 없어요. 전 괜찮아요."

（「1995년 아버지의 소천」 중에서）

홉킨스로 문득 찾아오셨던 아버지는 1995년에 소천하셨고, 손녀 슬아의 대학 가는 것을 보고 싶으시다던 어머니는 손녀따님이 대학 가는 것을 보시고 아버지와 사별하고 20년 후에 소천하셨다. 아버지 어머니를 향한 애틋한 마음과 함께 실제 사연이 주는 감동이 살아 숨 쉰다. 본 모음집은 작가가 걸어온 체험을 화두로 삼아서 말의 질감이 심장에 와 닿아서 지워지지 않았다.

정곡을 찌르는 명징한 언어와 삶이 딱 맞아떨어지는 것은 그에게는 거친 황야 타국에서도 자기를 세워가는 신앙의 힘이 있기 때문이라고 확신한다. 자유로운 창의성과 치밀한 묘사로 문학적 상상력을 주는 새로운 감수성으로 어떤 것에서도 도달할 수 없는 과감한 시도와 절제미를 가지고 있다. 부모님 이야기와 두 분에게 효성스럽던 아내에 대한 감사는 절정을 이루어 내내 눈시울을 적시게 하였다.

　"슬아의 피부에 내 손이 닿는 순간, 나의 몸에 전율이 왔다. 믿어지지가 않았다. 눈이 부셔 반 감은 상태로 '응아' 하는 슬아의 울음소리는 아내와 나에게 슬아의 태어남과 동시에 우리 모두의 또 다른 세상의 시작을 의미하는 날이었다." 슬아가 태어나는 순간을 포착한 장면의 고백이다. 그리고 이어서 아내와 슬아는 그의 생애에 "나의 행복의 거울이다"라는 육중하고 살가운 발언은 한결같이 진실하고 뜨겁게 다가온다.

　여러 가지 생각 끝에, 뉴욕지역에 위장내과 간내과 전문의로 개업하기로 결심하고 개업중 〈속편한 내과〉 병원을 지을 때 그는 결정하고 아내가 건축 설계를 맡았다.

　병원은 환자를 진료하는 곳이다. 그러기 위해서는 정확하고 안전한 의술은 물론 우선 환자가 편안한 마음으로 병원문을 들어설 수 있는 환경이 구축되어야 한다. … 의료진으로서 환자들의 이러한 표정 읽기는 구체적인 진료에 앞서 매우 중요하다. 나는 우리 스태프에게 늘 말해왔다. 리셉션룸으로 환자가 문을 열고 들어올 때, '그 환자의 눈을 잡아야 한다'고. 사무적이고 기계적인 인사가 아니라, 환자의 눈에 자신의 눈을 맞추고 그 눈을 끌어안아 주어야 한다는 말이다. (「속편한 내과」 중에서)

이런 집념으로 시작된 건물은 필자가 여러 번 찾은 그 병원 분위기는 병원 같지 않고 언제나 음악이 흐르는 고요와 꽃향기가 불안한 마음을 안정시켜 주곤 했다. 후원 별당에 나들이 온 것처럼 어지럽던 마음은 가라앉고 이상한 안정감과 희망이 생기는 환경에 취하곤 하였다.

언제나 진정한 순발력으로 영광스러운 자각과 위안을 보듬어 주고 보태주는 응집력은 환자들이 보통 느끼지 못했던 경험을 선사 받게 한다.

그의 글에서는 사색이, 속삭임이, 향기가, 포근함이 귀하고 정갈하게 느껴진다.

작가가 일상의 언어들에서 포착한 마음의 풍경, 내 감정을 정

16

리하고 다듬어내는 삶을 풍성하게 확장 시켜 주는 단어 하나 하나는 평화로운 공간이 설계되는 자리였다.

더 차원 높은 삶을 그리워하는 아련함을 제대로 풀어 놓고 그 순정을 높게 이루어 오고 있음이 보였다. 그의 성격처럼 올곧게 자리매김한 정결한 아름다움은 평범함 속에 있었다. 그래서 이 글 한 편 한 편은 날렵하게 꾸미거나 번쩍거리지도 떠들어대지도 않기에 은밀한 속삭임으로 문학의 고귀한 감성이 전해주는 명징한 장면들이라고 단정한다. 독자들에게 진정성 있는 글, 섬세한 필치로 발자국을 보여주며 시야를 넓혀주는 보물상자가, 일상의 구체적인 체험에서 우러나오는 질박한 세상이 열려진다.

명료한 묘사와 비유가 위기에서 평안한 구원을 안겨주고 있음이 보인다.

우리 아이들은 미국에서 태어났지만, 미국의 아이들과는 다를 수밖에 없다. 인종적으로도, 피부의 색깔이 달라서이기도 하지만 그들이 가지고 태어난 민족적 그리고 문화적 배경도 다르다. 그러다 보니 자신의 정체성에 대한 혼란을 가끔 겪을 수 있다. (「미국 선생에게 한국의 문화를」 중에서)

배움은 기회다. 교육의 사각지대에 있는 우리 아이들에게 실질적인 교육의 기회를 확대하고 바람직한 교육여건을 조성하고자 멘토링 장학, 고른 기회 배움터, 저마다 꿈을 가진 학생들이 그 꿈을 키우는 데 도움을 주고자 하는 것이 학부모들의 심정이다. 배움을 꿈꾸는 사람들을 지원하여 '더불어 성장하는 고른 배움 공동체'를 구현하고자 하는 재미동포 아이들의 꿈이 우리들의 꿈이라고 부모들은 목소리를 모으는데 이 책은 바른 판단력과 활력을 준다.

이제 그는 「마라톤은 축제 같아」라는 대목에서 실지로 뛰면서 준비하는 과정은 큰 부담 없는 정도의 긴장감과 기대감으로 혼합되어 나름대로 마음을 설레게까지 한다. 자신감, 희망, 그리고 한번 부딪혀 이기어 보겠다는 결단을 실천하고 있는 그에게 새로운 풍속도에 몸소 실천하고 적응하는 용기에서, 눈물도 빛을 만나면 반짝인다는 말의 실상을 확인하며 독자에게 기쁨을 만들어 준다.

"내가 개업한 지도 어느새 25년이 흘렀다. 그동안 나는 환자에게 정확한 건강정보를 제공하는 것이야말로 의사로서 일반인들이 스스로 건강을 증진 시키고 질병 예방을 하는 데 가장 큰 힘이 됨을 깨달아왔다. '제 상태가 어떤지 속 시원히 설명해 줄

현철수_ 홉킨스로 문득 찾아오신 아버지

수 없나요?'라며 답답한 심정을 호소하는 환자들과 자주 접했다."라는 대목과 함께 현 박사님은 문제에 도전하고 완성을 향해 멈추지 않는다.

미주 한인커뮤니티의 건강을 도모하기 위해서는 한인의사들의 협력과 노력이 필요하였다. 그래서 나는 2008년부터 재미한인의사협회(Korean American Medical Association: KAMA카마)의 임원으로 활동을 시작했다. 2011년에는 회장으로 선출되었고, 나는 전 미국 한인 의료인들이 단합할 수 있는 플랫폼을 만들기 시작했다.

카마는 미국에서 활약하는 약 22,000명 한인 의사들의 전국적인 모임이다. 재미 한인 의사들 간의 친목과 학술대회를 통해 의학관련 연구성과를 발표하고, 의학기술의 추세와 동향에 대한 정보교환을 도모하며, 나아가 한국인 의료의 우수성과 리더쉽을 구축하고자 하는 단체다. (「재미한인의사협회 KAMA」 중에서)

2세들에게 한국인의 문화유전자를 「글로벌 코리언」에서도 역시 필자는 물론 독자들에게 안도와 응원의 충격을 제공하고 있다. 이런 계획과 실현은 거창하지 않지만 섬세한 배려로 따뜻하고 솔직하게 담아낸 보람된 청사진이다.

이 책의 목차는 단어들로 이루어져 있지만 큰 포인트들을 담아 관계를 자존감의 어휘로, 제목들로, 창의성으로 만들어내었고 성숙한 코리안의 성장에 미래가 되고 조국의 의미를 되새기고 우리 민족의 우수성을 다짐하게 되는 초석이 되리라 믿는다.

처음 출간한 현철수 박사의 책 『속병클리닉』도 제목처럼 의학 언어만 있는 것이 아니라 보통의 언어도 많아 곳곳에 무릎을 치는 통찰의 뒷면에 글맛이 독특하고 짜릿했다.

삶 속의 도전장을 내놓고 독자에게 정신의 활기를 불어넣어 주고 있다. 어찌 보면 간명하나 씹고 또 씹으면 은유(metaphor)가 있고 풍자와 페이소스가 있다. 황폐해 가는 우리네 삶에 윤기를 더해 주는 주옥같은 꽃다발이다. 바쁜 그의 일상 속에서 예를 들어 지나칠 것 같은 일을 명철하게 묘사해서 늘 목마른 독자들에게 생수를 마시게 하고 생기를 되찾게 해준다. 지금 살고 있는 현재 일을 스스로 점검하는 이야기들이 항아리에 물이 넘치듯 담겨있다.

여기서 이 책의 삽화를 이제 대학을 졸업하며 생명의 신비를 내포한 산부인과 의사가 목표인 다부진 희망을 품고 있는 따님, 슬아가 담당했음을 밝히지 않을 수 없다. 삽화가를 찾는 아빠의 사정을 알고 그동안 연마한 그림 실력을 가지고 30점이 넘는 삽화를 완성했다 이 따뜻한 따님의 점으로 그린 그림에는 넘치는 사랑과 정성이 점 하나 하나에 사랑의 속삭임이 들려왔다. "그림은 언어다"라고 말한 독일 철학자 비트겐슈타인의 말처럼 슬아는 그림 속에 흘러간 시간을 풀어 아빠의 과거 현장을 싱그럽게 살아나게 하고 있다. 자신의 솜씨와 기교를 절제하여 긴장감을 더해 주며 목도하는 독자가 건강하게 숨 쉬는 그림과 대면할 수 있는 놀라운 여지를 제공해주고 있다. 인물 표정이나 옷자락에 주름살 하나도 또 여백에서도 그 안에 메타포가 들어있음을 맛보는 황홀함에 침전되곤 한다. 삽화의 켜켜에는 상징성까지도 아우르는 예술성이 돋보인다. 이 섬세한 붓으로 인하여 아빠의 저서가 더욱 빛나고 슬아의 장래에 넘치는 축복이 있으리라 믿는다.

의학적 업적을 이루어가며 환자를 대하는 순간이나 전심전력으로 치료하고 훌륭한 가정에서도 소명을 지킨 그에게 항상 곁에는 하나님의 보살핌이 빛으로 쌓은 성곽을 이루고 있음을 확인한다. 현철수 박사님의 글 속 고샅마다 조국에 대한 사랑과 겨레의 혼이 그의 그물에 걸린 듯 장엄하다. 그의 의학적 전력투구 정신과 철학, 영혼의 소리들이 한데 어울려 드디어 오케스트라를 이루는 장대한 글을 계속 써나가기를 당부하며.

2020년 겨울

차례

현철수_ 홉킨스로 문득 찾아오신 아버지

Ⅰ

뿌리

    뿌리와 정체성에 관한 생각들은 나의 삶에 있어 중요한 지표가 되었다. 정체성은 생명과 안정을 주관하고 이것들은 행복과도 직결되기에 더더욱 그렇다. 행복해지려면 존재의 의미를 확인해야 하는데 그러려면 나의 정체에 대한 확신이 앞서야 되기 때문이다.

뿌리

❦

1. 홉킨스로 문득 찾아오신 아버지

1976년 가을, 날씨가 제법 쌀쌀하고 낙엽도 거의 진 시기였으니 11월 말 즈음이었던 것 같다. 오후 1시쯤 수업을 마치고 기숙사로 돌아오니 방문에 메모가 붙어있었다. 돔(Dorm) 메이트 조지가 남긴 메모였다.

"철, 너희 아버님이 학교에 오셨다. 아이젠하워 도서관 로비에서 기다리신다."

아버지는 아마도, 볼티모어에 도착하시고 기숙사 전화로 메시지를 남기셨을 것이다. 왜, 갑자기 연락도 없이 오셨나? 생각하며 서둘러 도서관을 향했다.

아버지에 관한 나의 기억들은 많지만, 대학 4학년 때 학교 캠퍼스로 문득 찾아오셨던 아버지의 모습이 가장 선명하다. 아버지가 세상을 떠나신 지 어느새 25년이 되었다. 1919년생이니, 살아 계셨으면 100세가 넘은 연세다. 아버지가 나를 찾아오셨던 1976년, 나는 대학 기숙사에서 살고 있었다.

서둘러 도서관에 가보니 아버지는 로비에 앉아 계셨다. 그때 아들을 찾아오신 아버지의 모습은 왠지 쓸쓸해 보였다. 학교 부근 식당에서 점심을 함께 하면서 한 시간 남짓 보냈을까? '그냥 네 얼굴 보러 왔다' 하시는 아버지가 쌀쌀했던 날씨 탓인지 더욱더 외로워 보였다.

당시 부모님은 뉴욕 후러싱에 살고 계셨다. 1973년 서울에서의 좋은 직장에 사표를 내고 이민자의 길을 나선 아버지의 지난 몇 년 간의 미국 생활은 순탄하지만은 않았다. 미국에 정착하고 맨 먼저 볼티모어의 외곽에 연 기프트샵에다 가지고 온 모든 재산을 투자했지만, 채 1년도 안 되어 샵을 정리해야만 했고, 결국 뉴욕으로 이주하셨다. 한국에서 안정된 고위 공무원이었던 아버지가 낯선 이국땅에서 마땅한 직장을 찾기란 여간 어려운 일이 아니었다. 반년간 이곳저곳을 헤맨 끝에 조그마한 회사에 취직을 하셨다. 직장을 구하셨지만, 한국에서의 지위와 생활을 생각하면 얼마나 참담하셨을까? 내 나이 50이 넘어서 비로소 그런 생각이 들었다.

미국에 정착한 많은 가정들이 그렇듯이, 자식들의 교육과 장래를 위해 희생하신 부모님들의 이야기가 많다. 나의 부모님도 마찬가지다. 아들 둘이 다 해외에서 공부하고 있었으니, 한국에 계속 계실 경우, 형과 나는 병역문제로 학업을 중단하고 한국으로 곧 돌아가야 할 형편이었다. 이를 막고자, 안정된 직장을 사직하고 이민자의 길을 자청하셨던 것이었다. 물론 부모님 역시 미국에서의 생활에 기대감도 있으셨다. 당시 아버지의 나이 54세, 지금의 나보다도 10년이나 아래셨으니, 비교적 젊은 시기였다. 하지만 미국에서의 생활은 그리 녹록하지 않았다. 난생처음 시작한 기프트샵, 연 지 채 반년도 안 되어 문을 닫아야 했고, 급기야 뉴욕으로 올라와 아무 직장이라도 찾아야만 하셨다. 나는 왜 40년이 훨씬 넘어선 지금에야, 그 옛날 아버지가 대학 캠퍼스로 나를 찾아오셨던 하필 그 측은해 보였던 모습이 가끔 떠오르는 것일까?

딸 슬아가 Lehigh대학교 4학년 때 일이다. 모처럼 집에 왔다가 학교로 돌아가는 슬아를 데려다주면서 할아버지 이야기를 꺼냈다. 한 번도 뵙지 못한 할아버지이지만, 할아버지의 생신까지도 나보다 더 잘 챙기는 슬아다. '아버지가 살아 계셨으면 얼마나 예뻐하셨을까?'

슬아가 다니는 대학에 가다가 보니 문득 옛날 아버지가 생각나서였을까? 아니면 지금 내가 슬아를 생각하는 나의 마음이 그 옛날 아버지의 마음이었나 하는 생각 때문이었을까? 아무튼 슬아에게 아버지의 이야기를 해주었다.

"옛날에 아빠가 지금 너처럼 대학교 4학년이었을 때 말이야. 할아버지가 아무 연락도 없이 뉴욕에서 아빠를 보러 찾아오신 적이 있었어."

'어떻게 오셨어요?'라고 아버지를 뵈었을 때 내가 그렇게 물었던 것 같다. 물론 뉴욕 펜스테이션에서 기차 타고 오셨으리라는 것은 알지만… '왜 갑자기 오셨어요? 무슨 일 있어요?'라는 뉘앙스로 퉁명스럽게 묻는 아들에게 아버지는 '그래, 그냥 네 얼굴 보러 왔다.'고 대답하셨다. 몇 년 되진 않았지만, 벌써 고단한 이민 생활에 지친 듯한 아버지. '너만 잘되면 나는 괜찮다'는 그런 표정이 넌지시 비쳤다. 다시 기차를 타고 뉴욕으로 돌아가시는 아버지의 뒷모습이 참 쓸쓸했다.

"그런데 말이야. 그때 할아버지의 모습이 아빠에게는 왜 이렇게 계속 기억에 남을까? 쓸쓸해 보이면서도 자식에게 한없이 다정해 보이셨던 모습이 아직도 눈에 생생하단 말이야…."

말씀은 없으셨지만, '그냥 너 보러 왔다'는 말씀이 자식을 향한 아버지의 마음이 담긴 애정 표현이었음을 그때는 몰랐다. 슬아가 잠자코 듣고 있었다. 'Dad, I think you miss him.' 그런 눈길로.

2. 나의 부모님, 그들은 누구인가?

나의 아버지 현우섭은 삼일운동이 일어났던 기미년 1919년 6
월 서울에서 태어나 1995년 미국에서 돌아가셨다. 아버지의 본
적지가 종로구 청운동으로 기억한다. 살아 계셨다면 101세가 되
신다.

아버지가 돌아가시고 2년 후에 태어난 슬아는 자신의 친할아
버지를 만난 적이 없지만, 할머니와 나에게 할아버지에 대한 많
은 이야기를 들어서 익히 알고 있는 편이다.

슬아처럼 나도 한 번도 뵙지 못한 나의 친할아버지는 현(자)윤
(자)를 쓰셨다. 지금 한국산업은행의 전신인 식산은행에서 일하
셨고, 할머니는 전형적인 주부이셨다. 할머니의 함자는 김 경(자)
식(자)이셨다. 두 분 슬하에 5남 4녀를 두셨는데, 아버지는 4남
으로 나이 서열로는 딱 중간이시다. 명절에 큰아버지 댁에서 가
족이 모이면, 손주들만 거의 서른이 넘었으니 시끌벅적했던 일

들이 기억난다.

아버지는 휘문중학교(그 당시는 고등학교가 없는 대신 중학교가 5년)를 졸업하고 연희전문(현재 연세대학교) 상과대학을 졸업하셨다. 그 후 교토의 입명관대학원에서 수학하시다가 1945년 광복되면서 귀국하셨다. 중학교 때부터 아이스하키를 하셨는데, 대학에서는 주장 선수로 맹활약을 하셨다. 나는 아주 어렸을 때부터 아버지를 따라서 아이스하키 '연고전'은 거의 빠짐없이 보고 자랐다. 아버지는 대학 때 아이스하키 연습이나 시합을 하러 황해도 사리원, 홋카이도 등에 자주 가셨었다. 고모와 아버지의 친구분들에게 들은 이야기로는 아버지는 굉장히 인기가 많으셨다. 남자 친구들에게는 물론, 근처 이화여대, 숙명여대 여학생들에게 요샛말로 인기가 '짱'이었다고 했다.

아버지는 어렸을 때 코미디를 좋아하셨다. 대학을 지망할 때 마침 그 해에(1937년경), 연희전문에 연극과가 없어져서 당신이 가고 싶었던 연극과에 원서를 못 내고 대신 상대에 입학하셨다고 한다. 혹시 그때 아버지가 연극과에 입학하여 연극인이 되셨으면, 나도 지금쯤 혹시 잘 나가는 2세 배우가 되어 있지는 않았을까 하는 재미있는 생각을 할 때도 있다.

어렸을 때부터 나는 아버지에게 스케이팅을 배웠는데 아버지는 76세에 돌아가시기 1년 전까지도 스케이트를 타셨다. 연세가 지극한 분이 스케이트를 타는 폼이 너무 멋이 있어서, 많은 사람들이 넋을 잃고 아버지를 쳐다보곤 했다.

아버지는 온화한 성격의 소유자셨다. 언제나 젠틀하셨고, 어지간한 일에는 화를 내지 않으셨다. 양띠셨는데 정말 양같이 온순하셨다. 어린 형과 내가 잘못을 저질러 받는 기합이 기껏해야 무릎 꿇고 꾸중을 들은 다음, 방구석에서 10분간 두 손 들고 있

는 게 고작이었다. 그것도 안 되셨는지, 다시 당신 앞으로 앉으
라고 하시고는 "앞으로 또 그럴래? 안 그럴래?" 물으신다. 형과
내가 "안 그러겠습니다." 하면 그것으로 끝이었다. 반면에 어머
니는 달랐다. 여름 방학 동안에 숙제를 안 하고 늦게까지 놀고
들어왔다고 꾸중 듣기도 하는 등 집에 빗자루가 남아나지 않을
정도였다. 형은 어머니의 성질을 잘 아는 터라 이럴 때는 피하는
게 상책이라는 듯 아예 집에 늦게까지 돌아오지 않아서 안전(?)
했지만, 나는 그렇지 못했다.

나의 어머니의 함자는 김 경(자)배(자)이다. 어머니는 1923년 9
월 충청남도 공주에서 태어나셨다. 서울여상을 졸업하고 동경여
자대학교(현 오차노미즈 조시 다이)에서 수학하셨다. 만주에서 여
학교 선생을 하셨고 나중에는 YWCA, 상공부에서 일하시다가,
아버지를 만나 결혼하셨다. 어머니에게는 여동생이 한 분 계셨
다.

나는 친할아버지도 못 뵌 것같이, 외할아버지도 만나 뵌 적이
없다. 외할아버지 함자는 김 현(자)승(자)를 쓰셨다. 외할머니 함
자는 김 복(자)순(자)이셨다. 외할아버지는 충청남도 공주 출신으
로 우리나라에서 중학교를 나오신 후 일본 게이오대학교에서 수

학하셨다. 1923년 일본의 관동대지진 때에 한국으로 귀국하셨다. 그 후 일본 치하에서 고생하던 조선인들을 위해 법조계에서 일을 도우셨다 한다. 1965년도쯤 내가 국민학교 다닐 때, 외할아버지 기일에 공주시 장기면에 있는 외가 선산에 갔을 때 그 동네 많은 사람들이 외할아버지의 제사에 참석했던 기억이 난다. 거기서 뵌 우리 5촌인 공주고등학교 교장 선생님을 지내신 김준배 아저씨(외당숙)는 당시 우리나라 국화 재배의 일인자로 유명 인사였다고 한다. 형과 나는 할아버지 산소에 벌초를 하고 준배 아저씨 집에서 끓여 준 맛있는 고추장찌개를 먹었다. 찌개에 들어간 건 돼지고기와 두부 단 2개밖에 안 보였지만 형의 말로는 최고의 찌개였다.

아버지는 학업을 마친 후 사회에 나가서 여러 사업을 시도하셨다. 그런데 그때마다 성공적으로 잘 풀리지 않았던 것 같다. 그러다가 1961년에 충주 비료공장의 임원으로 1년여 재직하셨다. 그 이듬해 1962년 대한무역진흥공사(KOTRA)가 창립되고 그곳에 입사하셨다.

그 덕분에 형과 나는 충주에서 초등학교를 1년 정도 다녔다. 내가 초등학교 1~2학년 때쯤이었는데, 형과 나는 친구들과 병정놀이를 자주 했다. 겨울에는 스케이팅 대신 썰매를 타고, 얼음

위에서 팽이치기도 했다. 내가 다녔던 초등학교는 전형적인 시골 학교였다. 아이들은 책가방이 없어 책들을 보따리에 싸서 허리춤에 메고 다녔다. 어깨에 메는 책가방이 있는 아이는 형과 나 그리고 몇몇 친구밖에 되지 않았다. 우리 반에서는 나 혼자만 책가방이 있는 것이 미안해서, 책과 공책들을 보자기에 싸서 어깨에 메고 다녔는데 어머니에게 들켜서 혼난 적이 있다. 지금의 아이들은 믿기 어려울 정도로 빈곤해서 많은 학생들이 점심을 싸오지 못했다. 학교에서는 강냉이 빵을 배급으로 주었던 기억이 난다. 어머니가 처음에는 가정부(도우미 누나)에게 따뜻한 점심을 나르게 했는데, 나는 어머니에게 제발 그러지 말고 대신 밥을 더 많이 싸달라고 해서 친구들과 나눠 먹었던 기억이 새롭다.

서울로 돌아온 건 내가 초등학교 2학년 때였다. 우리는 안암동에서 살았고 나중에 수유리로 이사했다. 형과 나는 돈암초등학교를 다녔다. 오후에는 과외 공부로 시달렸지만, 틈만 나면 나는 동네 아이들과 딱지치기, 구슬치기, 팽이치기를 하며 재미있게 놀았다. 그 와중에도 나는 초등학교 3학년부터 유도를 시작했는데, 배우려면 제대로 배우라고 아버지가 직접 주선해 주셔서 소공동에 있었던 대한 유도대학에서 배우게 되었다.

도장에 처음 간 날이 1월 17일 즈음이었는데 하필 또 기온도

영하 17도였다. 난방이 전혀 되어 있지 않아서 추워 어쩔 줄을 모르고 서 있는데, 내복도 다 벗고 도복을 입으라고 하면서 그 어설픈 창문마저도 다 열고는 '추우면 뛰어라!' 큰소리치던 사범이 기억난다. 그래서 '17일 17도'를 잊을 수가 없다. 아마 그 도장에서는 내가 가장 꼬마였을 것 같았다.

내가 초등학교에 다닐 무렵의 한국의 형편은 매우 가난했다. 1953년에 전쟁이 끝나자 평화는 돌아왔지만, 나라의 상태는 말할 수 없을 정도로 한심했다. 1960년 서울의 거리에는 먹을 것을 구걸하고 싸움질하면서 배회하던 고아들이 많았다. 고아는 곧 거지들의 모습으로 변했고, 그들은 손에 빈 깡통(밥그릇)을 차고 길거리를 헤맸는데, 그 아이들에게서 나는 퀴퀴한 냄새와 깡통의 비린내는 어린 나의 가슴에 커다란 슬픔의 기억을 남겨 주었다. 나중에 안 이야기지만, 한국 고아들의 미국 입양역사가 바로 한국전쟁이 남겨 준 역사의 부산물인 셈이었다.

1960년도 초만 하더라도 웬만한 가정에는 텔레비전이 없었다. 한강 다리가 총 세 개에 불과했던 그 시대, 물론 지금의 강남은 꿈도 못 꾸는 그런 때였다. 요새 아이들은 상상이나 할 수 있을까? 한국전쟁이 끝나고 황폐화된 한국을 재건해야 하는 입장에서, 자원이 풍부하지 못한 나라의 상업과 경제의 초석을 놓고 경제부흥을 위해서 꼭 필요한 것은 무역이었다. 지금은 대한무역투자진흥공사로 이름을 바꾸었지만, 그 당시는 대한무역진흥공사로 불리었다. 이름 그대로 무역을 진흥하기 위한 목적으로 세워진 상공부 산하 공사였다. 코트라는 한국의 경제 기적을 이루는데 큰 기반을 닦았다. 1965년에 코트라에서 수출학교를 세웠는데 아버지는 수출학교의 초대교장으로도 활약을 하셨다. 세계 경제와 무역에 관한 지식을 습득하고 연구하며 해외 진출에 관한 토대를 축적하기 위한 학교였다. 코트라 수출학교는 일류 학벌의 인재들을 가르치고 양성하기 시작한 기관이기도 했다. 그 외에도 아버지는 해외로 다니시면서, 무역관을 세울 수 있도록 기초를 닦는 일도 하셨다. 어느 날, 나는 아버지 생각을 하다가 코트라 사이버 역사관이라는 사이트에 들어가 보았는데, 거기서 1965년 3월에 코트라 수출학교 발족했을 때의 사진에서 아버지의 모습을 보았다. 순간 두근두근 가슴이 뛰었다.

또 하나의 추억으로는, 초등학교 4학년 때인 1964년에 한국은 처음으로 국제무역박람회에 참여하였다. 한국으로서는 획기적이고 역사적인 일이 아닐 수 없었다. 이 일을 위하여 아버지가 밤낮으로 동서분주하던 모습들이 아직도 생생하다. 우리나라가 수출 1억 불을 달성한 해였다.

나에게는 두 살 위의 형이 있다. 나이는 두 살 차이지만, 형은 학교를 1년 일찍 들어가서, 나와 학년은 3년 차이가 난다. 형은 나보다는 훨씬 재치가 많았다. 무슨 이야기를 했을 때에 금방 눈치로 어떤 이야기인지 알아차리곤 했다. 반면에 나는 좀 느렸다. 하나하나씩 따져보고 생각해 보기 전엔 아는 척을 할 순 없었으니까. 그런 나를 보고, 형은 '형광등'이라고 놀려댔다. 옛날 형광등은 스위치를 켜면 불이 금방 들어오지 않고 깜빡깜빡하다가 천천히 들어왔었다. 형이 놀려대는 것을 보시고 아버지도 웃으면서 한마디 거드셨다. "그래도 형광등은 테레비(당시에는 티비를 일본식 발음이 섞인 테레비로 불렀음)보다 훨씬 빠르지." 요새 아이들은 1960년대 티비를 알 턱이 없겠지만, 그 당시 티비를 켜면, 화면이 한참 동안 깜깜하다가 이게 정말 들어오나 할 때쯤 서서히 보이기 시작했던 것이다.

형은 사교적인 성격이라 어려서부터 친구들이 많이 따랐다. 비교적 과묵했고 수줍음을 탔던 나와는 달리, 형은 처음 보는 사람에게도 쉽게 접근했고 빨리 친구로 사귈 수 있는 실력의 소유자였다. 사교적이었던 형은 여자아이들에게도 인기가 많았다.

형은 아버지의 뒤를 이어 휘문중학교에 다녔는데 보이 스카우트 활동을 했다. 지금도 기억하는 건 그 당시 청소년들이 가장 많이 보는 〈학원〉이라는 잡지에 표지 모델로 나온 적도 있다. 아마 1964년 여름이었던 것으로 기억한다.

형과 나는 같은 배에서 나온 형제임에도 불구하고 모든 면에서 너무나 달랐다. 나는 비교적 합리적이고 이상을 추구하는 타입으로 좀 고지식하고 재미없고(?) 완벽을 기하는 성향이고, 형은 형식이나 이상보다는 자신의 이익을 중시하여 현실과 타협하는 사람이다. 내가 신의를 중요시했다면, 형은 별로 그렇지 않았던 것 같다. 어려서 식탁에 앉아 이야기할 때, 신문에 난 부정에 관한 기사에 나는 열을 올렸지만, 형은 늘 '뭘 그런 거 가지고 그러니?' 하는 그런 눈빛이었다. 비록 어렸지만 내가 민족주의적 성향이 있었다면, 형에게는 우리나라가 반드시 우선은 아니었다. 그렇다고 형이 나라에 애정이 없다는 말은 아니다. 다만 형은 돈이나 물질 그리고 좀 더 화려하게 사는 것에 관심이 많았던 것 같다.

형은 옷차림 스타일에도 신경을 많이 썼다. 어려서부터 자신만이 추구하는 패션이 분명히 있었던 것 같다. 이렇듯 성격이 다르다 보니, 어떨 때는 '우리가 정말 친형제인가' 의심이 갈 정도였다. 아마 우리가 둘이서 마지막으로 가장 재미있게 놀았던 때가 충주에서 병정놀이하던 초등학교 때가 아니었을까 생각한다.

형이 중학교에 들어갈 때 나는 아직 초등학교 4학년이었다. 아마도 우리 두 형제는 그때부터 완연히 다른 인생의 길을 향해 갔던 것 같다. 해외에 나와서부터는 우리 형제의 가는 길은 더더욱 달랐다. 형은 스페인 마드리드로 유학의 길에 올랐고, 나는 오키나와에서 고등학교를 졸업하고 미국으로 향했다. 좀 지나친 표현일지는 모르겠으나, 형은 분명히 자유분방했다.

그래서인지는 모르지만, 내가 미국 안에서 빙빙 돌며 학교생활에 바쁠 동안, 형은 돈을 벌겠다고 지구가 좁은 듯 세계 각국을 누비고 다녔다. 나는 결혼을 한 번 했지만, 형은 여러 번 했다. 나에게는 자식이 딱 하나 있지만, 형에게는 자녀가 여럿이다. 나보다 확실히 실용적이고 개인주의자였던 형의 존재를 나는 늘 의아해하면서도 또 그게 그렇게 싫지는 않았다. 한편으론 부러운 부분도 많다.

지금 우리 둘 다 60이 넘어 과거에 있었던 일들을 돌이켜 보니, 모든 것이 이제는 흥미로운 추억거리로 남게 되었다.

해외로의 첫 발걸음

나는 타이완의 수도인 타이베이 외곽의 사림이란 도시에 있
는 타이베이 아메리칸 스쿨로 전학하여 학교에 다녔다. …… 타이
베이 아메리칸 스쿨은 1960년도 말 그 당시 아시아에서 가장 큰
외국인학교로 40여 개국의 학생들이 다녔다. 외국 생활에 접어든
지 얼마 안 된 나의 입장에서는 그야말로 난생처음 경험하는 인종
전시장 그 자체였다.

해외로의 첫 발걸음

1. 오키나와

나의 해외 생활을 이야기하기 위해서는 우선 나의 중·고등학교 시절을 돌이켜 보지 않을 수 없다. 나는 서울에서 초등학교를 1967년에 졸업하고, 일본 오키나와로 갔다. 아버지가 오키나와에 코트라 무역관을 설립하면서 우리 가족이 아버지를 따라 일찌감치 해외 생활을 시작한 것이다.

아버지는 국제무역전문가이셨다. 그때 오키나와에서 아버지가 주로 하시는 일은 정부 기관들의 상업계 사람들과 접촉하면

현철수_ 홉킨스로 문득 찾아오신 아버지

서, 한국과 오키나와 간의 무역 협상을 이루어내는 일이었다. 그러기 위해서는 한국과 상대 국가의 현 경제 실정은 물론 장래 시장성까지 평가해 가면서 궁극적으로는 한국의 경제를 부흥시키는 데 목적이 있었다.

아버지는 일주일에 한 번은 정기적으로 직원과 함께 오키나와의 정부 기관을 비롯해 여러 회사로 시장조사를 하러 나가시곤 했다.

오키나와는 동중국해의 남동쪽에 위치한 류큐열도의 55개 섬 중 가장 큰 섬이다. 대부분의 사람들에게는 휴양지 혹은 미군기지가 있는 곳으로 알려져 있다. 그때는 비행기에서 내려다보면 바닷속의 울긋불긋하고 아름다운 산호초가 선명하게 드러나 보이는 에메랄드빛의 투명한 바다를 발견할 수 있었다.

한국과 유사한 오키나와의 역사

지금은 오키나와가 일본의 한 지역이지만, 원래 오키나와는 자신만의 독특한 역사와 문화를 가지고 발전해 온 일본과는 별개의 나라였다. 언어도 일본어와는 전혀 다르다. 10세기부터 부족국가가 출현한 오키나와는 12세기경 부족들이 병합되면서 우리나라와 비슷하게 삼국 시대를 거치게 된다. 그러다가 1429년에 일어난 중산국이 통일왕국을 이룬 후로 180년간 비교적 평탄한 세월을 지낸다. 류큐 왕국은 중국과 일본, 조선을 비롯해 동아시아 여러 나라와 중개무역을 하여 국부를 축적하고 문화가 크게 부흥했다. 오키나와는 1854년 미국, 그리고 이어 프랑스 및 네덜란드와 수호 제약을 맺었다고 한다. 그러고 보면 조선보다 먼저 서구 문물을 받아들인 셈이다.

1610년경 임진왜란을 일으킨 도요토미 히데요시가 죽고, 도쿠가와 이에야스가 일본을 통일했을 당시, 일본의 남쪽 사쓰마번의 침략을 받아 실상 그때부터 일본의 지배하에 들어간다. 그러면서도 중국 명나라에 조공을 바쳐야 하는 약소국으로 명맥을 이어왔다. 따라서 류큐는 중국과 일본이라는 두 나라에 의해 지배받는 이중 속국으로 전락한 셈이다. 그 이후에도 여러 차례 일본의 침략을 받아 결국 1879년에 멸망하였고, 오늘날의 오키나와현으로 바뀌게 되었다.

지정학적으로도 조선과 오키나와는 중국과 일본 사이에 위치하여 있어 중국에 조공을 바쳐야 했고, 끊임없는 일본의 침략으로 나라를 빼앗긴 가슴 아픈 역사 등이 오키나와와 조선과 흡사

한 점이 많다. 13세기 말부터 고려와 그리고 나중에는 조선과 거래를 시작했으며, 조선조가 개국하던 1392년에는 태조 이성계에게 신하라는 글을 바치고 포로로 잡혀갔던 조선어민 8명을 되돌려 보낸 적이 있다고 한다.

나는 일본을 거쳐 오키나와를 향했다. 그 당시 한국 유일의 국제공항이었던 김포국제공항에서 비행기를 타고 오사카에 도착했다. 거기서 이틀을 묵은 후 오키나와행 비행기를 탔다. 오사카에서 몇 군데 관광을 간 것 같은데 기억에 남는 곳은 오사카성이다. 원래의 오사카성은 많이 소실되었지만, 바로 이곳은 도요토미 히데요시가 세우고 통치했던 성으로 유명하다.

비록 어린 나이였지만, 내 나름 한국과 일본 두 나라 사이의 관계에 대해서는 익히 잘 알고 있었다. 한 예로, 역사와 신문을 통해 배운 나의 일본에 관한 인상은 그리 좋지만은 않았다. 초등학교 3~4학년부터 스크랩북을 만드는 것이 취미 중 하나였는데, 특히 일제강점기에 관한 기사는 거의 다 모은 것 같다. 특히 옛날 부패한 조선이 망하면서 일본의 식민지가 된 점, 조선과 일본, 중국과의 관계에 관한 기사들을 많이 수집하면서 나름 나만의 역사의식을 키우게 된 것은 아닌지 모르겠다.

김구, 안창호, 서재필, 이준, 윤봉길, 안중근 등 수많은 애국자들이 온몸과 마음으로 민족과 국가를 위해 헌신한 업적에 대해, 나는 잘 알고 있었다. 편견에 치우치기도 했던 나의 일본을 향한 눈초리는 그리 날갑지만은 않았다. 나의 스크랩북 등의 취미 덕에 뿌리내린 생각이었는지는 모르지만, 일본사람들에 대한 부정적인 이미지는 쉽게 지울 수가 없었다. 물론 전혀 근거가 없는 생각은 아니었지만, 지금 돌이켜보면, 어린 나이인 내가 그런 감정을 갖고 있었다는 것이 한편으론 놀랍다. 그래서인지는 몰라도 오사카에 도착해서 나의 귀로 들려오는 일본인들의 재잘재잘대는 소리는 우선 어린 나의 비위를 거슬렀다.

오키나와는 일본과는 다르다는 이야기는 들었지만 어떨는지 궁금했다. '거기서 어떻게 살지? 친구도 많이 사귀어야 할 텐데…' 하는 걱정이 앞섰다.

낭만의 섬 오키나와에서 중학교를…

오키나와에 도착했을 때가 2월경이었는데, 서울의 추운 날씨와는 대조적으로 포근한 서울의 5월 날씨 같았다. 착륙하기 전

현철수_ 홉킨스로 문득 찾아오신 아버지

에 비행기 안에서 내려다본 아름다운 에메랄드 색깔의 투명한 오키나와의 바다가 지금도 생생하다. 도착하자마자, 바나나와 오렌지를 얼마나 많이 까먹었는지 그 다음날 화장실을 여러 번 들락거려야 했다. 서울에서는 그 귀했던 바나나가 여기저기 즐비하게 널려있다시피 했으니 입이 저절로 벌어졌다.

아버지의 무역관 사무실이 자리 잡은 곳은 오키나와의 수도 '나하'였다. 처음에는 나하에서 좀 떨어진 외국인 주택가에서 살았는데 1년 정도 후에 나하시 근처로 이사했다. 오키나와의 쭉쭉 뻗어나간 해안도로가 정말 인상 깊었다. 서울에서 좁은 골목길들을 보다가 해안으로 연결되는 쭉 뻗은 도로에 숨통이 뚫리는 것 같았다.

처음 살았던 지역에는 미국인들이 많이 살고 있었다. 그 동네 안에 조그만 마트가 있었는데, 많은 식품류 외에도 온갖 아이스크림 플레이버가 있어 나는 금방 그곳의 단골손님이 되었다.

오키나와 하면 역시 바다를 빼놓을 수 없다. 제주도의 약 2/3 정도 되는 오키나와는 기다란 섬으로 남쪽에서 북쪽까지 주파하는데 3~4시간 걸린다. 그러나 오키나와 어디서든지 해안으로 가는 길은 얼마 안 걸린다. 그러다 보니 바다로 가는 길은 너무 쉬웠다. 수영을 좋아했던 나는 스노클링을 즐겨 했다. 역시 바다에서 하는 수영은 풀장에서 하는 수영과는 기분이 다르다. 아무튼 나는 친구들과 함께 스노클링을 할 때면 3~5미터 정도 내려가 산호밭을 구경하면서 총천연색의 열대어와 같이 수영을 하곤 했다.

당시 오키나와에는 영어로 수업하는 학교가 세 곳 있었다. Okinawa Christian School, Christ The King International School, 그리고 미군의 자녀들이 주로 다니는 Kubasaki 학교가 있었는데, 쿠바사키는 전형적인 미국인 학교로 복장이나 머리 등 규율이 매우 자유로운 학교였다. 나는 일단 영어를 배우기 위해 오키나와 크리스천 스쿨에 입학하여 영어를 배웠다.

첫 1년간은 영어만 공부했고, 그 후 시험을 치고 곧 킹 스쿨의

현철수_ 홉킨스로 문득 찾아오신 아버지

중학교에 입학했다. 이 학교는 미국 가톨릭 교육 재단 중 하나인 School Sisters of Notre Dame 재단 아래 세워진 외국인학교로, 교장선생님은 수녀님이었다. 비교적 규율이 엄격했다. 교복을 입었는데, 남학생들은 학교 엠블럼이 찍힌 옅은 초콜릿색 타이에 베이지색 바지, 갈색 재킷 유니폼을 입었고, 여학생들도 같은 색깔의 스커트와 재킷을 입었다. 남학생들은 좀 더 '쿨'해 보이려고 넥타이를 약간 느슨하게 풀어 매는 게 유행이었다. 여학생들은 스커트를 무릎 위로 올려 입으려다가 수녀님이 나타나면, 급하게 스커트를 끌어내리려 안간힘을 쓰곤 했다. 비교적 엄격한 분위기였지만, 그 안에서도 나름 꽤 자유로운 환경이었다.

미국의 전략적 요충지

오키나와는 2차대전 말 태평양전쟁에서 가장 많이 피를 본 곳으로도 유명하다. 1945년 3개월간 무차별적인 포격과 폭격으로 미국군, 일본군은 물론 수십 만 명에 달하는 오키나와 주민들이 죽었다고 한다. 전쟁에서 승리한 미국은 군정 통치를 시작했고, 내가 오키나와에 갔을 때는 안정되고 평화로운 분위기였다.

그 당시 오키나와 평민들 중에는 세 종류의 분파가 있었는데, 첫째는 자신들을 일본인으로 생각하지 않는 경향이 강해 꾸준히 오키나와의 독립을 요구하는 분파, 둘째 하와이나 괌같이 미국에 속해 살기를 원했던 미국파, 셋째 일본에 소속되길 원하는 사람들이었다. 결국 1972년 오키나와는 일본으로 귀속되었지만, 아직도 미군기지는 남아 있는 실정이다.

오키나와 사람들은 일본 본토인들과는 좀 다른 모습이다. 비교적 키가 더 작았고, 몸에 털이 많던 것으로 안다. 그리고 여자들은 유난히 눈이 크고 맑고 아름다웠다. 오키나와 말은 일본말과 완전히 달라, 일본인들조차 알아들을 수 없다. 나는 아버지가 가정교사를 두어 일본어를 배우게 했다. '영어도 잘 못하는 판에 일본어를 배우라니…' 투정을 부렸는데, 지금 돌이켜보면 열심히 배우지 않은 것이 후회된다.

조선의 후예 도자기 장인

오키나와는 참으로 아름다운 곳이 많다. 환상적인 에메랄드빛의 바다는 말할 것도 없고, 섬을 둘러싼 해안도로는 기막힌 바다

현철수_ 홉킨스로 문득 찾아오신 아버지

의 뷰(view)를 보여준다. 마치 자동차가 태평양 위를 달려가는
듯, 부서지는 파도가 자동차에 닿기도 했다.

　주말에는 가족이 함께 바닷가로 드라이브를 많이 나갔다. 높
은 언덕 위에 자리 잡은 A/W 드라이브인에서 눈 아래 태평양
을 바라보며 먹었던 치즈버거와 밀크셰이크는 어디 가도 찾아
볼 수 없다.

　나하에서 2시간 북쪽으로 드라이브해 올라가면 '나고'라는 도
시가 있다. 그곳에 어느 도자기 장인이 살고 있었는데, 이분의
조상은 임진왜란 때 일본으로 끌려왔다가 오키나와에 정착해 살
게 되었다고 했다. 아무튼, 이곳 나고시에서 만났던 도공은 그
당시 나이가 많이 든 분이었는데, 이분 외에도 수백여 명의 조선
도공의 후손들이 그곳에 산다고 했다.

　'아, 400여 년 전에 조선의 후손들이 이렇게 여기 오키나와에
서 살고 있구나!'⋯ 참 ⋯

　임진왜란 때에 일본으로 끌려간 도공들도 많았지만, 어떤 도
공들은 자진해서 일본으로 건너갔다고 하는데 그들은 일본에서
좀 더 좋은 대우를 받기 위해서였다고 하는 말도 있다. 그 당시
어엿한 도자기를 생산할 수 있는 나라는 조선과 중국밖에 없었

다는 것은 명백한 사실이다. 유교 사회로 양반이 가장 위고 기술이 있었던 사람들을 낮게 여겼던 계급 시대의 조선 시대에서는 도공을 제대로 대우하지 않았다고 한다. 반면 일본에서는 도공에 대한 대우가 매우 좋았고 따라서 도공의 지위 또한 높았다. 결국 이들은 일본 도자기 문화 발전에 커다란 공을 세운 격이 된다. 최상류층의 일본인들의 고급문화였던 차의 문화와 맞물려, 예술면으로도 매우 뛰어났던 조선의 도자기는 일본의 고위층에게 크게 환영을 받았고, 조선에서 이주한 도공들의 삶은 새롭게 승격되었다고 할 수 있다.

예술적으로 높은 가치가 있는 조선의 도예는, 조선에서는 빛을 못 보고, 일본의 낙후된 도자기 기술을 끌어 올리는 데 큰 공헌을 한 셈이다. 결국 우리 선조들이 창출해 놓았고 남들이 덕을 본다고만은 말할 수 없다. 왜냐하면 문화는 창출도 중요하지만, 이를 후원하여 발달시키고, 이에 대한 시장을 형성하고 산업화시킨 모든 노력의 과정이 중요하다. 또 이를 높게 평가해 주고 뒷받침해 주어야 할 책임도 부수되어야 하기 때문이다. 이러한 생각이 비단 도예 문화뿐 아니라, 다른 문화 예술은 물론 과학과 모든 기술 분야에 이르기까지 적용될 수 있다는 점을 우리는 심각히 고려해 보아야 할 것이다.

표류하여 온 한국의 어부들

1969년쯤이었을 것 같다. 여름 방학 어느 날 새벽에 어머니가 잠을 깨웠다.

"칠수야, 일어나라. 아빠에게 좀 급한 일이 생겼나 봐. 너도 좀 도와줘야겠다."

한국에서 온 조그만 어선 하나가 풍랑을 만나 오키나와로 표류하여 왔다는 것이었다. 그 어선에 10여 명의 어부들이 있는데, 그들을 좀 도와주어야 한다는 말씀이었다. 형하고 나는 어머니가 급하게 만들어 준 음식을 챙겨 직원을 따라 나하시 부둣가로 향했다. 도착해 보니 어선 안에는 초췌해 보이는 한국 어부들이 지친 듯 앉아 있는 모습이 눈에 들어왔다. 한국의 남해안에서 고기잡이를 하다가, 큰 풍랑을 만나 일주일에 걸쳐 거의 표류 상태로 떠내려오다가, 오키나와 해안에서 미국 해군에게 발견되어 구조된 것이었다. 피곤하고 초라했던 그 어부들의 모습이 아직 기억에 남는다.

나는 어머니가 챙겨준 음식들과 음료수들을 풀었다. 어민들이 씻고, 쉬고 잘 수 있는 호텔로 데려다주면서 여러 가지 필요한 것들을 챙겨주느라 그 이튿날까지 바빴다. 한국인들에 관한 문제가 발생할 때면, 대부분 대사관이나 영사관에서 감당하지만, 그 당시 영사관마저 없었던 오키나와에서는 이러한 일들을 코트라가 자진해서 맡아서 했다. 오키나와 대한민국 영사관은 그 일이 있었던 후 약 3년 뒤에 설립되었다.

2. 타이완

　오키나와에서 2년여 살았는데 아버지가 타이베이로 발령을 받으셨다. 역시 타이베이에 새로 무역관을 개설하면서 가시게 되었다. 따라서 우리 가족도 모두 타이베이로 갔다.

　그 당시 타이완은 중화민국으로 자유중국이라 불리었고, 중국은 모택동의 치하에 있는 공산국가로 UN에도 가입되어 있지 않은 나라였다. 대만에는 장개석 총통이 생존해 있었으며 세계적으로도 대만을 중국으로 인정하고 있을 때였다. 1960년도 후반이었으나, 지금 내 기억으로도, 타이완의 경제가 한국보다는 더 부유했던 것 같았다.

　나는 타이완의 수도인 타이베이 외곽의 사림이란 도시에 있는 타이베이 아메리칸 스쿨로 전학하여 학교에 다녔다. 영어로 모든 수업을 하니 학교생활만을 볼 때 미국에서 학교에 다니는 것과 별다른 점이 없었지만, 학교 밖은 또 다른 나라 중국이었다. 타이베이 아메리칸 스쿨은 1960년도 말 그 당시 아시아에서 가장 큰 외국인학교로 40여 개국의 학생들이 다녔다. 외국 생활에 접어든 지 얼마 안 된 나의 입장에서는 그야말로 난생처음 경험하는 인종 전시장 그 자체였다. 미국인, 중국인 학생은 물론 세계 여러 나라, 다양한 민족의 학생과 접하면서 많은 것을 배우고 느꼈다. 내가 자라온 한국의 역사와 문화와는 판이하게 다른 세계에서 살아온 친구들과 사귀면서 각국의 문화와 역사에 큰 관심을 가지게 되었다. 그리고 차차 그들의 색다른 언어에도 조금씩 친근해지기 시작했다.

타이완도 우리나라와 비슷하게 일본의 침략을 받아 나라를 빼앗겼던 가슴 아픈 역사를 갖고 있다. 타이완은 1910년에 일본에 합병된 우리나라보다 훨씬 일찍부터 일본의 지배를 받기 시작했다. 1895년 청일전쟁에서 패배한 청나라가 일본에게 타이완을 할양하게 된다. 일본의 식민지가 된 것이다. 그리고 1945년 2차 대전이 끝나고 1949년 중국 공산당에 밀려 장개석 총통이 국민당을 이끌고 대만에 들어오면서부터 중국어(만다린)는 대만의 공용어가 된 셈이다. 그러나 타이완 원주민들이 사용하는 언어는 중국어와는 판이하다.

복잡한 중국말 – 자신 있게 '내뱉어라'

  언어와 문화는 불가분의 관계이며, 한 나라의 문화는 역사 속에서 창조된다. 그러다 보니 문화에 익숙해지기 위해서는 자연 그 나라의 언어와 역사를 배우게 되는 것이다. 타이베이 시내에 나가면 영어가 별로 통하지 않아서 중국어를 배울 수밖에 없었다. 그래서 나는 타이완 사범대학에서 운영하는 중국어 교실에 등록하여 조금이나마 중국어를 익히게 되었다. 지금 생각하면 그때 중국어를 좀 더 열심히 배워 둘 걸 하는 아쉬움이 있다.

  해외에서 그 나라 말을 익혀가면서 사노라면, 언어에 얽힌 에피소드가 많기 마련이다. 어느 날 시장에 나가서 과일을 사게 되었다. 중국말이 짧은 나는 오렌지를 손가락으로 가리키면서 '쩌거 쓰거'(이거 4개 주세요) 했다. 그랬는데 과일가게 아주머니는 눈을 휘둥그레 돌리면서, '쉐이 쓸라?' 하고 되묻는 게 아닌가. 당황하는 내가 안 됐다고 생각했는지 옆에 계신 어떤 연세가 지극한 분이, 일본말로 설명을 해주었다. 이 아주머니의 말인즉 '누가 죽었나?'고 묻고 있다는 말이란다. 참 희한한 일이다. 나는 과일을 4개 달라고 했는데, 누가 죽었냐고? 나중에 알고 보니, 중국어로 숫자 4와 죽을 '사'는 '쓰'로 발음은 같지만, 높낮이가 달라서 벌어진 해프닝이었다. '쓰'의 높낮이를 잘못 말했을 때는 숫자 4가 죽을 '사'로 전해진다. '아하 그랬구나.' 오렌지를 사는 데는 성공했지만, 그때의 에피소드는 지금도 생생하다.

아무튼 나는 그 당시 짧은 중국어 실력으로도 타이베이 도시의 어느 곳이든지 잘 돌아다녔다. 하루는 동물원에 가기 위해서 택시를 잡아탔다. 그런데 '아차 동물원은 중국말로 뭐라고 하지? 이걸 알아 가지고 탔어야 했는데…' 미리 준비를 못한 터였다. 기사는 '취 나리?'(어딜 가세요?)라고 물었다. 내가 우물쭈물하니까, 이번에는 기사 아저씨가 큰 소리로 다시 물어왔다. '취 나리?' 나도 좀 당황했지만, 큰 소리로 "취 동무엔"이라고 대답했다. 어림잡아 동물원이니 중국말로 '동무엔' 정도 되지 않을까 해서였다. 웬걸 이게 먹히지가 않았다. 이번에는 기사가 신경질을 내면서 더 큰소리로 '취 나리?' 물어왔다. 중국 사람들은 일본사람들과는 달리 말을 좀 크게 하는 경우가 많은데, 똑같은 질문을 두 번 세 번 하게 했으니 기사의 목소리가 더욱 커지기 마련이었다. 기사의 말소리가 커진 것이 좀 괘씸하다는 생각도 들었고, 에라 모르겠다. 지면 안 되지 하면서 큰 소리로 위엄 있게 '취 똥무엔~', 이번엔 좀 억양을 넣으면서 말했다. 그랬더니 금방 알아들었다는 듯이 기사 아저씨가 '하오, 취 똥무엔~' 하면서 핸들을 잡는 게 아닌가? 아, 외국어로 말할 때는 보통 때보다 더 자신 있고 당당하게 해야 되겠구나. 물론 우리 한국말도 마찬가지이지만 말이다.

보물창고 대만 국립 고궁박물관

대만에서의 첫해는 대만대학교에서 멀지 않았던 신성남로에 살았고, 그 이듬해 학교에서 가까운 '천모'라는 곳으로 이사했다. 그 당시 타이베이의 외곽에 위치한 곳으로 천모 근처에는 대만 국립 고궁박물관(Taiwan National Palace Museum)이 자리 잡고 있어 쉽게 드나들었던 기억이 난다.

이 박물관에는 중국 5000년 이상의 역사를 총망라하는 문화와 예술품의 보고로서 자기와 서화, 조각품 등 보물들이 자그마치 60만 점 이상 소장되고 있다. 장개석 총통 시절인 1965년에 세워진 이 박물관은 런던의 대영박물관, 파리의 루브르, 그리고 뉴욕의 메트로폴리탄 박물관과 함께 '세계 4대 박물관'으로 일컬어지는 곳이기도 하다.

이 모든 예술품은 1949년 장개석 총통의 국민당 정부가 모택동에게 패전한 후 중국 대륙에서 타이완으로 도망 나오면서 옮겨온 황실의 보물들이다. 예술적으로 연구 가치가 우수하다 보니 매년 수많은 미술사학, 고대사 연구자들과 관광객들이 이곳을 방문하고 있다. 예술품들이 너무 많아서 한 번에 전시할 수가 없어 인기 높은 품목을 제외하고 보물들을 정기적으로 바꾸어 전시하고 있을 정도이다. 이렇듯 방대한 중국의 역사적인 귀중한 자료와 예술품들은 수천 년을 이어온 중국인의 삶을 총망라하는 문화 그 자체인 듯하다.

반만년 역사를 자랑하는 우리 한국에서는 외국인들에게 과연 무엇을 보여줄 수 있을까? 수백 번 외세의 침략으로 손실된 그 모든 문화재와 보물들, 특히 일제의 '문화 강탈'로 인해 잃어버린 귀중한 문화재들은 도대체 얼마나 될까? 뉴욕 메트로폴리탄 한국관에 소장되어있는 몇 개 안 되는 유물들로 세계인들에게 한국의 역사와 문화를 소개하려 하니 초라하고 한심하기 짝이 없을 정도다. 수천 년간 잃어버리고 잊혀진 그 수많은 우리 선조들의 발자취와 문화를 발굴하고 찾아내어 재조명하는 지혜가 요망된다. 물론 불타 버려 없어진 보물들이라 하더라도, 역사의 흔적들은 어디에선가 분명히 존재할 것으로 믿기 때문이다.

거의 10여 년 전 일이 생각난다. 뉴욕에 있는 코리아 소사이어티에서 새로 발간된 책으로 데이비드 핼버스탬이 쓴 〈The Coldest Winters〉를 리뷰하는 자리에 참여한 적이 있다. 이 책은 6·25 한국전쟁에 관한 책으로 전쟁 자체의 이야기 외에도 그 당시 미국과 세계의 정세를 다루었다. 초청 강사로 브루스 커밍스 교수가 참석했다. 콘퍼런스가 끝난 후 나는 집에 들어가자마자 컴퓨터를 열고 한국전쟁에 대해 영문으로 출판된 책들을 찾아보기 시작했다. 1951년에 출판된 마가렛 히긴스의 〈War in Korea〉를 시작으로 커밍스, 페렌바크, 핼버스탬 같은 역사학자의 저서 외에도 여러 외국인이 쓴 책들은 있었다. 그런데 정작 한국인이 쓴 한국전쟁에 관한 책들은 기껏 1–2권 정도밖에 없었고, 그나마 많이 읽히는 것 같지도 않았다. 알지도 못하는 코리아라는 신생국을 지키기 위해 수많은 인명을 희생한 미국의 입장에서 한국전쟁은 역사, 정치, 경제, 국방, 사회 모든 면에서 큰 관심거리가 아닐 수 없었을 것이다. 물론 한국전쟁은 남한과 북한만의 문제만은 아니었다. 그러므로 그들의 관점에서 전쟁을 어떻게 보는지는 더욱 객관성을 가져다줄 수 있기 때문에 6·25를 이해하는 데 큰 도움이 될 수도 있다.

그러나 6·25전쟁의 역사가 외국인이 쓴 책에만 의존되어 세계인에게 읽힌다면 그건 심각한 문제가 아닐 수 없다. 우리 집안

일이나 다름없었던 이 전쟁이 이렇고 저런 이유로 한국이 아닌 외국의 학자들에 의해 논의되고 평가되어 버린다면, 이는 마치 우리는 말 못 하는 바보 취급을 받는 것과 무엇이 다르겠는가? 나의 포인트는 외국인이 한국전쟁에 관해 쓴 책이 10권이라면 우리 한국인이 쓴 책은 20권 정도는 되어야 하지 않겠냐는 말이다. 즉 당사자인 우리 한국의 입장에서 볼 때, 가장 가슴 아픈 역사의 한 페이지였던 6·25전쟁의 전모를 한국인이 직접 겪고 느낀 대로 세계인들에게 규명해야 하지 않을까?

1953년 휴전 이후로 어떻게 보면 지금까지도 이어지고 있는 6·25전쟁은 잊을래야 잊혀질 수 없는 전쟁임에도 불구하고 세계가 주목할 만한 한국인에 의한 문헌적 기록들이 별로 없다는 점은 우리 모두 깊이 반성할 일이다. 만리장성이나 피라미드만이 보물이 아니다. 박물관에 놓여져 있는 귀한 전시품보다 더 중요한 것은 우리나라 역사의 순간들을 제대로 규명하고 세계에 알리는 일이다. 그것이 바로 한국의 역사를 보전하는 일이 아닐까?

쟌 리와의 역사 논쟁

지금 돌이켜보면 그 시절 가장 기억에 남는 일들 중 하나가 중국 친구들과 역사 이야기를 나누면서 논쟁했던 일들이다. 중국인 친구들은 한국이 마치 중국의 속국이나 중국 안의 조그마한 일부인 것처럼 대수롭지 않게 말하는 경향이 있었다. 아마도 그들의 역사책에 그렇게 기록되어 있다는 식이다. 최근에도 문제되고 있는 서북공정, 동북공정과 같은 일들이 중국인의 무지와 억지를 반증해 주고 있다.

'외국에 살면 애국자가 된다'는 말이 있다. 한국, 일본, 중국 3개국 간의 관계를 이해하는 입장에서, 중국의 문화 속에서 한국인으로 살아가는 것은 또한 큰 도전이 아닐 수 없었다. 중국인들의 고집은 이루 말할 수 없을 정도다. 일종의 맹신인지 그들의 우월주의 심보의 고약한 정도가 하늘을 찌를 정도였다. 마치 이세상이 자신들 중심으로 흘러가고 군림해온 것 같은 식이다.

홍콩에서 온 쟌 리라는 친구가 있었다. 아버지가 홍콩에서 큰 은행을 갖고 있다고 했으니, 흔히 말하는 갑부 아들이다. 홍콩의 외국인학교에서 타이베이로 전학해 온 학생으로 나와는 동갑이었고 같은 수학교실에 있었다. 수학반이 끝나면 곧장 점심시간

광개토대왕릉비

으로 이어졌기에, 쟌과 나는 카페테리아에서 점심을 하면서 이야기를 나눌 때가 많았다. 특히 역사 이야기를 할 때가 많았는데, 그중에서도 한, 중과의 오랜 관계에 대해 이야기를 나누다가 충돌할 때가 많았다. 우리 둘의 의견 충돌은 하루 이틀에 끝나지 않았다. 나는 쟌에게 질 수는 없는 일이어서 도서관에 가서 역사책을 들여다보았는데 특히 고조선, 고구려, 발해의 역사를 집중 공부해야만 했다. 그 다음날 쟌과의 논쟁에 대비해야 했던 것이다. 특히 광개토대왕릉비가 있는 지안시를 비롯해서 만주의 영토 문제에 대해 논쟁을 벌일 때는 주먹만 오가지 않았지 살벌하기 짝이 없었다. 오키나와에서 일본인 친구들과 한·일 역사에 대해 논쟁이 붙었을 때도 마찬가지였다. 일본의 고대문화의 형성과 발전에 큰 영향을 준 고마운 나라. 그럼에도 불구하고 조선의 문화와 역사를 말살하려 했던 일본의 만행을 일본인들은 언제나 인정하려는지….

3. 다시 오키나와로

본격적인 대학입시 준비

나는 타이베이에서 고등학교에 다니다가 다시 오키나와로 되돌아왔다. 내가 졸업한 고등학교는 오키나와에 있던 킹 스쿨이었다. 그 당시 미국인 학생뿐 아니라 약 15개국에서 온 학생들이 있었는데 고등학교를 졸업하는 학생들은 세계 여러 나라의 대학으로 제각기 입학원서를 제출했다. 대다수는 미국 대학을 지원했다. 나는 미국의 대학뿐 아니라, 독일의 Munich대학교, Heidelberg대학교, 그리고 영국의 London대학교도 고려했었다. 그러다 장기적 안목으로 보았을 때 미국으로 유학하는 것이 좋으리라는 생각으로 미국의 여러 대학에 원서를 냈다.

결국 나는 유학생 자격으로 I-20 비자를 받아 미국에 입국허가를 받고 오게 되었다. 그 당시의 대학진학도 지금과 같이, 학교 성적, SAT, Achievement Test, personal essay와 선생님들의 추천서 등을 받아 입학원서를 제출하는 과정이었다. 그때 내가 대학을 고르는데 가장 중점을 두었던 건, 앞으로 전공할 과목에 맞추도록 노력했지만, 지금 와서 생각해 보면 자신이 전공할 과목 위주로 결정한다는 것은 어떤 편으로는 좀 근시적인 안목이었던 것 같다. 아무튼 대학을 신청하는 과정 그 자체가 매우 조바심 나는 그런 상황이었던 것으로 기억한다. 대학교에서 보내준 정보, 대학 가이드 그리고 고등학교에서 advisor를 통해 받은 대학진학에 대한 기본적인 가이드라인에만 의존할 수밖에 없었다. 그 당시에는 미국의 여러 대학을 졸업한 학생들을 직접 대면하고 지금같이 캠퍼스 투어도 하면서 학교를 결정할 수 있는 풍요로운(?) 상황은 아니었다. 인터넷 없는 세상이었지만 그래도 학교를 고려하는 데는 그런대로 충분한 정보가 있었고, 어디를 가든 '내가 잘하면 된다.' 하는 배짱 덕분이었던지 대학을 선정할 때 큰 걱정은 없었다.

여러 대학에 입학원서를 내면서 느낀 점이지만 왠지 존스 홉킨스는 여러 가지로 마음에 들었다. 그리 크지도 않으면서 작지도 않아 정착하기에는 안성맞춤이라는 생각이 들었다. 내가 무엇을 전공한다 해도 학구적 자원이 풍부해서 도움이 될 수 있는 학교 같다는 인상을 받았다. 그 당시 학부생의 전 인원이 1,800명으로 학년당 450명꼴이었으니 그야말로 매우 알찬 환경이었다. 특히 대학원생의 인원수가 학부생의 인원수와 비슷한 정도였으므로 연구 생활의 터전으로는 최상의 환경이었다.

영예로운 고등학교 졸업

내가 그 당시 고등학교에서 가졌던 수업 방식은 일단 학교 수업에 충실하자는 것이었다. 일단 학교에서 가르치는 모든 과목에서 최선을 다했다. 모자라는 영어 실력 때문에 많은 고초를 겪었지만 결국 또 그만큼 많은 도전을 감당하게 해준 셈이다. 학교 수업에 충실하다 보니 자연 선생님들과도 친하게 지낼 수 있었고, 나중에는 Advanced Class에서 개인 지도도 받게 되었다.

정식 학과목 외에도 운동과 여러 학외 활동을 가졌다. 12학년(고등학교 3학년) 때에는 육상팀의 주장으로도 활약했고, National Honor Society의 회장으로, 그리고 scholastic bowl team(학교와 학교 사이에서의 학구적인 경시대회)의 주 멤버로도 활약을 했다. 매일 학교의 모든 수업이 끝난 후 2~3시간 동안 이러한 학외 활동을 하고서 집에 돌아오면 저녁식사 시간이 되었다.

한참 모자라는 영어실력 때문에 SAT 영어점수는 딸렸지만 TOEFL점수로 SAT의 Verbal을 대신할 수 있어서 그나마 다행이었다. 학교의 모든 학과목에서 열심히 공부한 덕분에 Valedictorian으로 졸업하는 영광을 얻을 수 있었다.

아직도 그 기억은 생생하다. 12학년 졸업을 앞둔 3개월 전 어느 날 점심시간에 담임선생님이 클래스메이트인 코라와 쿠메이 그리고 나를 불렀다. 담임선생님이 '너희 셋 중에 한 사람은 valedictorian이고 나머지 두 사람은 salutatorian으로 뽑혔다. 축하해' 하면서 웃는 게 아닌가. 쿠메이와 나는 자연 코라를 향해 부러운 눈초리로 쳐다보았다. 코라는 킹 스쿨에서 유치원 때부터 12년간 1등을 한 번도 놓치지 않은 재원임을 우리 모두는 너무나 잘 알고 있었고, 코라가 당연히 valedictorian이려니 했다. 이러한 분위기를 눈치챘던지, 선생은 고개를 살며시 저으면서 나를 보더니 'Chulsoo, you are the valedictorian!'이라고 말하는 게 아닌가. 정말 믿어지지 않는 그런 순간이었다.

나는 그 후 Valedictorian speech를 준비하느라 밤잠도 여러 번 설쳤다. 졸업식에는 12개국의 학생들이 있었다. 킹 스쿨의 졸

업식 전통 중의 하나는 졸업생들의 행렬에 앞서 재학생들이 각국의 국기를 들고 들어오는 순서가 있었다. 어머니의 말씀으로는 내가 수석으로 졸업하니까 태극기가 맨 처음으로 들어왔다고, 특히 잘 아는 분들을 대할 때마다 자랑스럽게 늘 말씀하시곤 했다. 솔직히 나는 태극기가 맨 처음으로 들어온 것 같지는 않았지만, 굳이 어머니의 주장과 부딪치고 싶은 마음은 추호도 없었다. 그것이 또한 나에게는 하나의 효도의 방법이었는지 모른다.

아무튼 졸업 후 나는 홉킨스로 왔고, 쿠메이는 MIT, 그리고 코라는 펜실베이니아에 있는 Cedar Crest에 full scholarship을 받고 입학했다.

III

미국대학 여행

대학을 지망하면서 특별하게 어드바이스를 받았던 기억이라곤 '나 자신이 좋아하는 것을 추구'하라는 말이었지만, 지금 생각해 보면 내가 좋아하는 분야에 초점을 맞추지 않고, 나 자신이 잘한다고 하는 분야를 따라가지 않았나 싶다. 자신이 좋아하는 것과, 잘하는 것은 반드시 일치하지 않는데 말이다.

미국대학 여행

1. 존스 홉킨스

'Jennings 302'

제닝스 302-Jennings Hall 3층 2호실, 나의 미국 생활에 있어서 first home이다. 1973년 8월에 존스 홉킨스대학 1학년으로 입학하면서 배정받은 나의 첫 dormitory room이다. 그 당시 Freshman Dormitory 빌딩은 홈우드 캠퍼스의 Freshman Quad라는 곳에 위치하고 있었으며 그곳에는 카페테리아를 비롯해서 여러 기숙사 빌딩들이 자리 잡고 있었다.

현철수_ 홉킨스로 문득 찾아오신 아버지

2009년 슬아가 어렸을 때 처음으로 홉킨스대학을 구경 삼아 데리고 간 적이 있었고, 그 다음 2014년 슬아가 대학을 지망하면서 캠퍼스 트립으로 온 가족이 두 번째로 방문했을 때도 1970년대에 있었던 모든 빌딩들, 그리고 우체국, 스낵 바, 카페테리아 등의 위치는 별 변함이 없었다. 슬아에게 내가 옛날에 살던 방을 보여주고 싶어, 제닝스 홀을 들어가려 하니 빌딩 문이 잠겨 있었다. 그 당시와는 달리 이제는 보안 시스템이 설치되어 있어서 빌딩에 들어가기 위해서 키를 사용해야만 했다.

입구로 들어가자마자 맞은편에 공중전화가 있었고, 2층에는 공용으로 사용하는 화장실/ 샤워실이 있었다. 내 방은 3층으로 올라가면 바로 왼쪽에 있었다. 셀폰과 인터넷이 없던 그 시대, 1층에 있었던 공중전화야말로 직접 상대방과 소통을 할 수 있는 유일한 방법이었다. 그 공중전화가 아직도 있을까?

지금과는 달리 그 당시에는 한국인 학생이 나 외에 꼭 한 명이 더 있었다. 아주 어려서 미국에 왔기 때문에 한국어가 서툴렀던 여학생이었다.

나의 룸메이트는 William(빌)이라는 친구였는데 그는 미국 해군사관학교가 있는 메릴랜드 Annapolis에서 온 학생이었다. 그의 아버지는 해군사관학교의 역사학 교수였는데 아버지의 뒤를 잇기 위함인지 자신도 역사학을 전공하려고 홉킨스에 입학했다고 했다. 나는 홉킨스대학은 과학이나 의학으로 유명한 대학인 줄 알았지만, 홉킨스대학은 원래부터 정치, 역사학 및 다방면의 인문계에도 지명도가 매우 높은 학교이다. 빌은 가톨릭 가정에서 자라났고, 나와 비슷하게 고등학교도 가톨릭 학교를 나왔다고 했다. 기숙사에는 가끔 시끄럽고 성격이 괴팍한 학생들도 더러 있었다. 이런저런 이유로, 어떤 학생들은 자신의 룸메이트에 대해 불평이 있었던 반면, 나는 별 문제가 없었다. 아침 6시에 기상해서 밤 10시면 잠자리에 드는 조용하고 차분한 성격의 빌 덕분에 우리는 별 갈등 없이 한 방에서 평화롭게 잘 지낼 수 있었다.

'넌 커서 뭐가 될래?'

고등학교에 다니면서 장래 어떤 분야를 전공할까 생각을 해 본 적은 많다. 나는 줄곧 언어에 많은 관심이 있었다. 중국과 일본 그리고 오키나와의 고유한 문화와 역사에 접촉하면서 나름대로 친숙해진 나의 입장에서는 언어에 대한 여러 호기심과 학구심이 생기게 된 것은 어떻게 보면 자연스러운 현상이었다.

한 나라의 문화를 배우고자 할 때 언어는 필수이다. 각 언어의 음성 체계는 물론 어휘 문법의 유사성과 다른 점, 그리고 그 언어의 원천 등을 생각하는 것은 그 나라의 문화 및 역사와 깊은 연관을 가지고 있으므로 매우 흥미로운 일이 아닐 수 없었다.

일본어와 중국어 외에도 고등학교에서는 스페인어와 독일어를 second language로 공부했다. 어떻게 보면 학교에서 쓰는 영어 실력도 딸려 힘든 입장에서 주제 넘는 일이었는지 모르지만 그만큼 외국어에 대한 흥미를 저버릴 수가 없었다. 언어학 외에도 수학과 물리학에 많은 매력을 느꼈다. 영어는 열심히 공부해도 A학점을 받기가 어려웠지만, 수학과 물리학은 시간을 투자하는 만큼 좋은 결과를 가져다주었기 때문인지 모른다. 또 그만큼 학교에서 인정도 받으니 나름 우쭐할 수 있었던 것도 과히 싫지는 않았다.

대학을 지망하면서 특별하게 어드바이스를 받았던 기억이라곤 '나 자신이 좋아하는 것을 추구'하라는 말이었지만, 지금 생각해 보면 내가 좋아하는 분야에 초점을 맞추지 않고, 나 자신이 잘한다고 하는 분야를 따라가지 않았나 싶다. 자신이 좋아하는 것과, 잘하는 것은 반드시 일치하지 않는데 말이다. 성과가 높지 않더라도 자신이 좋아하는 것들에 대한 열정과 노력을 키울 수 있는 여유를 가졌어야 했는데 그렇지 못했던 것 같다.

아무튼 고등학교를 졸업할 당시 언어학에 많은 흥미를 가졌던 것은 사실이지만, 결국 자연 과학을 전공할 계획을 세우고 홉킨스로 오게 되었다.

지금 와서 돌이켜 생각해보면 정말 내가 뭘 알고 전공 분야를 결정한 것인지 나 자신도 확실하게 대답할 수가 없다. 다만 자연 과학 계통의 학자로 연구생활을 하면서 살아간다는 것에 관해 나름대로 'fancy'를 느꼈던 것만은 사실이다.

부모님에게서 어떤 분야를 전공하라는 권유는 받은 적은 없었다. 그러나 어머니에게서 '최선을 다해서 머리에서 놀지, 꼬리에서는 놀지 말라'는 말은 늘 들으면서 자랐다. 아버지는 "무엇이든 네가 하고 싶은 걸 잘할 수 있으면 좋겠다."라고 하신 게 전부였다. 그러고 보니 형과 나는 전공을 고르는 데 있어 부모님으로부터 큰 간섭을 받지 않았다. 한 예로, 1968년에 형이 '스위스로 호텔을 전공하러 가고 싶다'는…. 솔직히 1960년대 그 당시 상

황에 미루어 볼 때 좀 황당한 발언을 했을 때도 아버지는 좀 의
아해하신 듯했으나 미소를 잃지 않으셨다.

자식에 대한 믿음 때문이었을까? 나는 그 너그러우셨던 아버
지의 마음과 자세를 이어받은 것 같지는 않다. 그 대신 어머니의
억척스러운 성격을 닮아 그나마 한 구덩이를 계속 파헤친 건 아
닐까 하는 생각도 해 본다.

America's first research University

'America's first research University'- 이 말은 존스 홉킨
스대학교를 소개하는데 가장 많이 쓰이는 구절이다. 1876년에
은행가 존스 홉킨스의 기부금으로 설립된 존스 홉킨스대학교는
당시 기존에 있던 영국식 교육에 치중했던 칼리지 식의 대학교
육이 아니라 연구중심 대학의 표본 모델로 미국교육에 있어 선
구자 역할을 했다. 초대총장이었던 다니엘 길만은 총장직을 수
락하는 취임사에서 "우리의 교육목표는 연구 활동을 촉진시키
고, 각 개인의 학구적인 마인드를 향상시켜 세계를 위한 지식을
탐구하는 기관이다."라고 말했듯이 홉킨스의 사명은 지식을 탐

구하고 새로운 것을 창출해내는 연구 활동이라고 믿는다. 가르
침과 연구는 서로 일맥상통하는 것이라는 교육철학이 결국 20세
기 초의 미국의 대학교육의 혁신적인 계몽을 일으키게 되었고
결국 오늘날의 존스 홉킨스대학교를 만들어내게 된 것이다.

존스 홉킨스가 의대가 유명하기는 하지만 학부 재학생의 절반
이상은 인문학을 선택하고 있으며, 문학계열은 최정상에 속한
다. 특히 영문학과는 학급 규모가 작아 교수들과 얼굴을 맞대고
공부할 수 있는 좋은 환경이 마련돼 있으며 미국 내에서 가장 일
찍 작문학 전공을 제공하기 시작한 학교 중 하나다. 1973년도

대학교 1학년이었을 때 택했던 'writing seminar' 코스는 당시 창작 문학의 대가였던 쟌 바스 교수가 가르쳤다.

존스 홉킨스대학 인문계열에서 인기 있는 전공 분야 중 또 하나는 국제관계학(International Studies)이었다. 이는 볼티모어가 워싱턴DC와 가깝고 또 DC엔 존스 홉킨스의 대학원 과정인 국제관계학 대학원(The Paul H. Nitze School of Advanced International Studies)이 있기 때문이다. 여름에는 많은 학생이 워싱턴DC에 있는 정부 기관, 비영리단체, 기업체 등에서 인턴십을 통해 실습이나 실무경험을 얻는다. 이외에도 정치학과나 역사학과 또한 세계 최정상급의 학과로서 모자람이 없다. 홉킨스의 피바디(Peabody) 음대도 유명하다. 피바디 음대는 미국 최초의 음대이며, 1977년 내가 졸업하던 해에 홉킨스대학교로 편입되었다.

치열했던 대학생활

만 19살, 이제 나는 대학생이다! 가족을 떠나 처음으로 독립해 나 자신만의 둥지를 가지고 산다는 데 마음이 부풀어 있었다. 몇

백여 명의 친구들을 만난다는 설레는 흥분도 오래가지는 않았다.

대학 1학년 때는 화학, 수학, 물리학과 같은 전공필수과목만을 제외하고는 Writing Seminar, 경제학, 그리고 외국어로는 스페인어를 택했다. 홉킨스 하면 아무래도 프리메드를 빼어 놓을 수 없다. 프리메드의 가장 초보적인 과목이었던 일반화학 클래스에는 1학년 전원 420명 중 320명이 등록했다. 화학 교실에서 본 320여 명의 클래스메이트들은 서로 보고 웃으면서 릴랙스되어 보이는 듯했지만, 모두 서로가 경쟁자라는 치열함을 피부로 느낄 수 있었다.

이들 중 나와 진솔하게 인간 대 인간으로서의 대화를 나눌 수 있는 친구가 얼마나 될지 정말 궁금했다. 한 학기가 지나더니 화학 교실의 학생 수가 200명으로 줄고 1년이 지나더니 120명으로 줄어들었다. 시험점수가 기대한 만큼 잘 나오지 않은 것이었다. '아무래도 나는 의사할 소질이 없는 것 같아' 등의 여러 이유가 귀에 들려왔다. 이러다가 결국 4학년 때에 약 80명 정도의 프리메드가 의대를 지망하게 되었고, 그중 70여 명 정도가 결국 의사가 된다는 것으로 기억한다.

학생들의 학업에 대한 열성은 대단했다. 카페테리아에서 하루 세끼를 챙기는 것 빼고는 기숙사, 강의실, 도서관 이 세 곳을 왔다 갔다 하는 게 일상이었다. 학생들은 본 도서관인 아이젠하워 도서관이 밤 12시에 문을 닫으면, 24시간 오픈되어 있는 길만 홀의 리딩룸으로 향했다. 길만 홀에서는 공부하는 것 외에도, 친구들과 혹시 내가 푼 문제가 맞는지 비교하고, 학생들 간의 정보 교환도 이루어진다. 보통 공부 벌레들이 아니었다. 내가 고등학교를 수석으로 졸업한 건 별 자랑거리가 될 수 없는 현실이었다. 룸메이트 빌도, 그리고 총 32명 정도 살았던 제닝스 홀에서만도 고등학교 수석졸업자가 7명이나 있었다. 방심할 여력도 없었고 조금도 우쭐할 만한 거리가 못 되었다.

프리메드의 바이블이라고 불리는 유기화학이나 생화학 책만을 달달 암기하는 것만 가지고는 A 학점을 받을 수 없었다. 학과목에서 배운 여러 내용들이 어떻게 응용될 수 있는지에 대한 상상력까지도 요구되었다. 유기화학 실험실에서는 주로 무명의 물질을 분리하고 정제하여 정량분석하는 실험을 하는데, 실험이 진행되어가는 과정 중에는 화장실에도 못 갈 정도로 학생들 간의 경쟁심은 대단했던 것이 기억난다. 그야말로 끊임없는 치열한 경쟁의 세계였다.

2. 컬럼비아

전학

내가 대학 1학년을 보내는 동안 부모님은 볼티모어의 외곽에 위치한 아파트 빌리지에서 사셨다. 미국에 오시면서 이왕이면 아들이 공부하는 곳 근처에서 살자고 결정하셨던 것이다. 그러면서 크지 않은 쇼핑몰 안에 있는 작은 기프트샵을 개점하고는 미국으로 가져오신 전 재산을 투자하셨다. 큰돈은 못 벌어도 기본적인 일상생활과 약간의 여유를 원하셨던 것 같았는데, 일은 그리 쉽게 풀리지 않았다. 기프트샵은 잘되지 않았고 급기야는 채 6개월이 되지 않아 샵을 청산하기에 이르렀다.

부모님은 볼티모어에서 이민 신청서류를 제출하고 영주권이 나오기를 기다렸지만, 그것 또한 금방 나올 것 같지 않았다.

1973년 당시 미국의 상황은 정치적으로나 경제적으로 불안정한 시기였다. 1972년에 터진 워터게이트 문제로 1973년에는 닉슨 대통령 탄핵 문제를 놓고 정치 사회는 혼란스럽기 짝이 없었다. 게다가 아랍과 이스라엘 사이의 전쟁으로 인한 석유파동은 에너지 크라이시를 가져다주었고, 이로 인한 경기침체와 물가상승은 부모님의 미국 생활 정착에 더더욱 어려움을 가중시켰다.

결국 새로운 직장을 찾기에는 아무래도 큰 도시가 나을 것 같다고 여기신 부모님은 1974년 초에 뉴욕으로 이주하기로 결정하셨다. 그러나 뉴욕에서 당장 어디서 무슨 일을 해야 할지에 대해서도 확실한 결정이 내리지 않은 상태였다. 새로운 도시에서 여러모로 불편하기 짝이 없을 이민 생활에 적응해야 되는 부모님의 형편이 나는 보기가 참 안쓰러웠다. 그러는 와중에 '아, 그럼 내가 뉴욕으로 학교를 전학해서 부모님과 함께 지낸다면 좀 도움이 되지 않을까?' 하는 생각이 떠올랐다. 경제적으로도 부족하기 짝이 없었지만, 언어 소통이 그리 쉽지 않아 불편을 많이 겪으시리라는 걱정도 앞섰다. 한국이나 일본에서는 비교적 유창하다고 인정을 받았던 아버지의 영어 실력도 미국에서는 기를 펼 수가 없었다.

나는 부모님 몰래 컬럼비아대학교에 전학신청서를 제출했다. 직접 말을 꺼내면 분명히 나의 전학을 반대하실 줄 알았기 때문이었다. 3월 안에 결과가 나올 테니 전학하게 되면 그때 말씀을 드려도 늦지 않을 일이었다. 물론 부모님이 뉴욕으로 이사를 하게 된 것이 나의 전학의 동기가 되긴 했지만, 나 자신도 큰 도시에서 좀 더 많은 것들을 보고 배우는 것도 좋을 것 같다는 생각도 들었기 때문이었다. 또 홉킨스에서의 생활은 100% 캠퍼스 안에서의 생활이다 보니, 그야말로 미국이란 나라가 어떻게 생겨먹은 나라인지 세상 구경을 하고 싶은 욕망도 있었다.

　　홉킨스대학 학장에게는 '부모님이 뉴욕으로 이주하시는 데 조금이나마 도움이 되고자 한다.'라는 이유로 둘러댔다. 다행히 2월에 컬럼비아대학교로부터 전학 합격통지서를 받았다. 부모님에게 컬럼비아로 전학하겠다고 말씀을 드렸더니, 노발대발 반대하셨다. '네가 공부하는 데 아무 불편을 주고 싶지 않은데 왜 그러느냐'는 말씀이셨다. 나는 컬럼비아는 어떤 면으로는 존스 홉킨스보다 더 크고 좋은 대학이며 내가 큰 도시 생활을 하면서 더 배울 것도 많을 것이라며 부모님을 겨우 설득시켰다.

여름 아르바이트

나는 1974년 5월 말에 홉킨스에서 대학 1학년을 마치고 뉴욕에 계신 부모님과 합류했다. 그 당시 부모님은 윌리엄스버그 브리지가 바로 앞에 보이는 브루클린의 그린포인트라는 지역의 아파트에서 살고 계셨다.

다행히 지난 7년간 해외 생활에 익숙해져 있었던 부모님은 금전적인 어려움을 빼놓고는 뉴욕에 정착하는 데 큰 어려움은 없으셨다. 여러 가지로 낯설기는 하지만, 그런대로 빨리 적응해 나가셨던 것 같았다. 아버지는 맨해튼의 57가 근처의 조그만 회사에 사무직을 찾아 일하시게 되었고, 어머니는 일단 집에 계셨다. 과거 한국에서의 생활에 비하면 초라하기까지 했지만, 생활하는 데는 큰 지장이 없을 정도였으니 참 감사한 일이 아닐 수 없었다.

나는 대학 1년을 마치고 처음 맞은 여름 방학을 맞아 6월부터 맨해튼에 자리 잡고 있는 일본인 회사에서 아르바이트를 구했다. 일본인 2세가 경영하는 여행사였는데, 호텔 안에 큰 기프트샵도 함께 운영하고 있었다. 일본어를 조금 할 수 있었던 덕에 여행사 일은 물론 기프트샵에서 세일즈도 담당했다. 1970년도 당시에는 일본인들의 해외여행이 한창이었다. 최근 들어 세계 어느 곳이든 중국인 여행객들이 시끌벅적인 것처럼, 그때는 일본인 여행객들이 세계를 누비고 다녔다.

나에게 주어진 임무 중 하나는 드라이버와 함께 케네디공항에 나가서 일본에서 도착하는 여행객들을 픽업해서 호텔까지 데려다주고, 그들의 체크인 과정을 도와주는 일이었다. 뉴욕시의 인기 관광명소에도 여러 번 안내하는 기회도 있었다.

이 일은 나 자신 뉴욕에 관해 많이 배울 수 있는 기회도 되었다. 나머지 시간에는 기프트샵에서 당시 여행객들이 선호했던 여러 종류의 기프트 아이템들을 세일즈하는 일이었다. 별로 잘하지도 못하는 일본어를 미국에 와서 이렇게 써먹게 될 줄은 상상도 못 한 일이었다. 아무튼 나는 여름 아르바이트 덕분에 뉴욕시 구경도 많이 할 수 있었고 용돈도 두둑이 마련할 수 있어서 좋았다.

대학 2학년

컬럼비아대학교에서는 9월 초 노동절 연휴가 끝나면서 모든 수업이 시작되었다. 1754년에 킹스 칼리지라는 이름으로 설립된 컬럼비아대학교는 우리 한국인들에게는 너무 익숙해 별다른 소개가 필요 없을 정도다.

맨해튼의 업타운 한복판에 브로드웨이와 암스테르담 애버뉴를 가로지르며 자리 잡은 컬럼비아대학교의 캠퍼스는 지난 1년 동안 내가 지냈던 볼티모어의 조용하고 아담한 공원과도 같았던 존스 홉킨스의 캠퍼스와는 대조적이었다. 학생들의 숫자 또한 크게 차이가 나는 것을 느꼈다. 지금은 한인 학생들의 숫자가 수백여 명이 넘겠지만, 그 당시에는 학부 전체에 채 5명이 되지 않았다. 오히려 대학원생의 숫자가 더 많았는데, 모두 한국에서 온 유학생들이었다. 나는 자연 과학 외에도 정치학과 경제학 코스를 택했다. 비과학 분야에서 나 자신을 한번 시험해 보고 싶은 마음에서였다. 나는 브루클린에서 전철(Subway)을 세 번 갈아타면서 통학을 했다. 브루클린 그린포인트라는 동네에서 전철을 타고 유니온스퀘어까지, 거기서 타임스퀘어, 또 거기서 업타운 116가로 가는 전철을 타면 대략 1시간 넘게 걸려서 학교에 도착할 수 있었다.

나는 모든 공부를 학교 도서실에서 했다. 대학교 안에 도서관이 여럿 있지만, 들어가고 나가는 시간이 많이 걸리는 버틀러 라이브러리 같은 큰 규모의 도서관은 피했다. 내가 주로 사용했던 도서실은 그 당시 동양학 센터였던 켄트홀, 엔지니어링 빌딩 도서관, 그리고 브로드웨이 바로 옆에 있는 수학빌딩의 도서관이었다.

전철을 타고 통학하는 시간은 나에게 중요하고 의미 있는 시간이었다. 책을 들여다보다가 싫증이 나면 책을 덮고, 전철 안의 사람들 구경만으로도 매우 흥미로웠다.

나는 거의 밤 11시가 되어서 도서관에서 나와 전철을 타곤 했는데, 타임스퀘어를 지나면서부터는 많은 사람들이 저녁 쉬프트를 끝내고 집으로 돌아가는 모습을 볼 수 있었다. 지역에 따라 전철에 오가는 사람들은 달랐다. 특히 유니온스퀘어에서 브루클린으로 들어오는 전철에는 많은 동유럽에서 온 이민자들의 모습이 보였다. 거의 꽉 찬 전철 안에서 섞여 나오는 말들은 러시아어, 폴란드어, 체코어 등 알아들으려야 도저히 알 수가 없을 정도의 갖가지 말들이 뒤섞여 나왔다.

하루의 고된 일과를 마치고 집으로 돌아가는 그들에게서는 피곤한 심신이 역력히 드러났다. '아, 저 아주머니는 유럽 어디서 왔을까? 아마 여러 식구가 있겠지? 무슨 생각을 하고 있는 걸까?' 등 얼굴 표정을 읽고 상상하는 것만으로도 시간이 가는 줄 몰랐다. 고향 생각에 빠져있는 듯하면서도 근심 어린 그들의 표정은 앞으로 갈 거리가 먼 이민자들의 현실을 말해 주는 것 같았다.

현철수_ 홉킨스로 문득 찾아오신 아버지

1974년 뉴욕의 한인들

1974년쯤의 뉴욕의 한인 인구는 얼마 되지 않았다. 물론 맨해튼의 코리아타운이 형성되기 전이었다. 브로드웨이 28가부터 34가 사이에는 'Kim's Wigs' 등 한인들이 경영하는 회사 대여섯 개 정도의 간판이 눈에 띄는 정도였다. 맨해튼에 한인식당 둘, 마트 하나, 그러다 보니 길을 가다가 한국사람 같아 보이는 사람을 보게 되면 서로 한참 쳐다볼 정도였다.

교회 또한 지금은 수없이 많아졌지만, 그 당시 맨해튼에는 한인교회가 총 2개였다. 그중 하나가 컬럼비아대학교 바로 앞에 자리 잡은 뉴욕 한인교회였다. 1919년 일어난 삼일운동을 기념하기 위해 1921년에 서재필 박사와 그 당시 컬럼비아 유학생이었던 조병옥 박사 등 여러분들이 뉴욕에 모여 기독교 공동체의 설립을 의논하고 그 결과로 뉴욕 한인교회는 설립되었다. 1903년 하와이 이민 후부터 세워진 교회들은 우선적으로 이민교회였던 반면 뉴욕 한인교회는 주요 구성원이 이민자가 아닌 유학생들이었다. 즉 삼일운동을 계기로, 우리나라의 독립과 평화를 꿈꾸면서 미국에 유학 왔던 학생들이 주동이 되어 설립된 교회라 볼 수 있다.

수많은 애국지사들이 거쳐 간 한 많은 우리나라의 역사가 숨어 숨 쉬고 있는 교회에서 매주 예배를 드릴 수 있다는 점이 맘에 끌렸다. 나라를 빼앗겼던 민족의 아픔을 껴안고 해외를 방황하며 나돌아야 했던 우리 선조들에게 있어 이 교회는 하나님을 만나고 신앙에 기댈 수 있는 유일한 보금자리였던 것이 아닐까? 과거 우리 선조들이 겪은 고난에 비할 바는 못되지만, 낯선 이국땅에서 앞날을 개척해 나아가는 현대의 이민자들이 한곳에 모여서 모국의 역사와 정체를 보전하며 하나님 중심의 삶을 추구할 수 있다는 점은 큰 축복이다. 부모님과 나는 뉴욕 한인교회에 등록했다. 그리고 나는 1974년에 성인 세례를 받았다.

컬럼비아에서 2학년이 거의 끝나갈 무렵에 나는 다시 홉킨스로 돌아가기로 결정했다. 나의 전공 분야가 자연과학 쪽인 것을 감안했을 때, 역시 아담하면서도 공부에 집중할 수 있는 존스 홉킨스의 분위기가 그리웠다. 서스카인드 학장에게 컬럼비아 대학에서의 2학년 성적표와 편지를 보내면서 3학년부터는 다시 홉킨스로 돌아가고 싶다고 의사표시를 했더니 환영한다는 답장이 바로 왔다.

3. 홉킨스로 돌아오다

나는 1년 3개월간의 뉴욕 생활을 끝내고, 1975년 8월에 볼티모어로 돌아왔다. 부모님도 뉴욕 생활에 어느 정도 익숙해지셨고, 나는 대도시 환경에서 많은 것을 보고 배우는 기회를 가졌다. 그렇지 않아도 한동안 부모님과 한집에서 지내다 보니 이젠 좀 독립하고 싶다는 마음도 간절할 즈음이었다.

뉴욕에 비해 볼티모어는 아주 작은 도시에 불과했다. 그리고 다운타운은 함부로 다닐 수 없을 정도로 위험했다. 볼티모어의 이너하버(Inner Harbor) 등 여러 문화시설 및 관광명소는 내가 대학을 졸업한 후에 생겼다. 그야말로 학교 도서관에 앉아 공부할 수밖에 없는 그런 환경이었다.

아, 이젠 정신 차리고 공부만 해야지.

캠퍼스에서 세 블록 떨어진 길포드 애버뉴에 조그마한 스튜디오를 랜트해 이사했다.

노아와 로버트 – 홉킨스의 공부벌레들

홉킨스에는 별의별 공부벌레들이 많았다. 나는 그 수준에는 미치지 못했다고 생각하지만, 다른 친구들이 나에 대해 어떻게 생각했을지는 잘 모르겠다. 나는 대학에서 공부할 때는 주로 밤 시간을 이용했다. 자연 아침에는 늦잠을 자고 그러다 보니 아침 식사도 못 하고 9시 강의 시간에 맞추어 허둥지둥 강의실을 향해 달려갈 때가 많았다.

많은 학생이 나와 비슷했지만, 전혀 다른 생활 방식을 가졌던 클래스메이트도 여럿 있었다. 같은 반에 있었던 두 친구를 소개한다. 그중 한 친구가 프리메드였던 노아이다. 그는 원래 스웨덴 출신이지만 영국에서 성장했고 런던에서 고등학교를 졸업하고 미국으로 유학을 왔다. 우리는 둘 다 외국에서 고등학교를 졸업하고 미국에 유학 온 처지여서 서로 통했고 쉽게 친해질 수가 있었다. 키가 훤칠하게 크고 블론드였던 노아는 눈에 잘 띄어 멀리서도 금방 알아볼 수 있었다. 눈이 오든 비가 오든 노아는 클록을 신고 다녔는데, 그가 자정이 지나고 아무도 없는 길만 홀의 리딩룸을 향한 돌로 된 복도를 걸어 올 때면 '떠그덕떠그덕' 소리가 유별났다. 멀리 있어도 노아가 걸어오고 있다는 것을 알 수 있었다. 노아는 밤 12시가 좀 넘은 후 블랙커피가 가득 찬 큰 컵을 들고는 멋쩍게 웃으면서 리딩룸에 들어오곤 했다.

우리는 새벽 5시까지 공부를 하다가 리딩룸의 긴 소파에 누워 잠이 들곤 했는데, 아침 6시 반에 청소하러 들어오는 아줌마의 배큠 소리에 깨어나기 시작했다. 청소부 아줌마가 걸작이었다. 노아와 다른 친구들이 누워 자는 긴 소파를 발로 차면서 "Get up! This ain't no hotel!" 소리에 소파에서 일어나 눈을 부스스 비비면서 카페테리아로 향하던 노아의 모습이 생각난다. 노아는 신경외과 전문의로 한동안 대학병원에서 교수로 재직하다가 지금은 개업의로 활약하고 있다.

노아와는 여러 모로 대조적인 친구 로버트는 중국인 3세로 캘리포니아에서 온 학생이었다. 말이 없고 내성적이었던 그의 전공은 물리학이었다. 420명 전교생 중 10여 명만 물리학을 전공했는데 그중 한 사람이었다. 로버트는 2학년부터 캠퍼스 바로 밖에 있는 아파트에 살았는데, 모든 공부를 자기 방에서 했다. 강의실에 갔다가 도서실에서 한두 시간 보낸 다음에는 곧장 아파트로 향했다. 아침식사 6시, 점심식사 12시, 그리고 저녁식사 6시, 그는 모든 식사를 자기 아파트에서 해결했다. 또 커피를 마시거나 군것질을 하는 것을 본 적이 없다. 취침도 칼같이 밤 10시, 그 이튿날 텀 페이퍼가 있건 시험이 있건 아무 상관 없이 그의 스케줄은 기계와 같이 변함없었다. 친구들이 집으로 찾아와 맥주를 권해도 사양했다. 그런 로버트에게는 친구가 별로 없었던 것 같다. 그래도 늘 만족스러운 표정이었던 로버트. 그의 생활 스케줄이 좋은 모델이 되어야 했겠지만, 그 당시 홉킨스 기준으로는 로버트는 아웃라이어에 속했다. 아무튼 로버트는 홉킨스를 수석으로 졸업했다. 전문 분야가 다르다 보니, 그가 지금 어디서 무엇을 하는지는 모른다. 20여 년 전에 잠깐 듣기로 로버트가 스탠퍼드에서 엔지니어링 박사학위를 받고 NASA에서 일하고 있다는 소식을 접한 적이 있다.

홉킨스 태권도 클럽

흔히 사람들은 대학 시절은 나 자신이 누구인지, 앞으로 어떻게 살아가야 할지 탐색하는 시간이라는 말을 한다. 즉, 인생을 설계하기 위한 시간으로 만들어야 한다는 말이다. 학문을 통해 얻어지는 지식 외에도 사회와 공동체와의 어울림을 통해 지혜를 쌓고 사회에 이바지할 수 있는 지성인으로서의 준비과정도 중요하다.

현철수_ 홉킨스로 문득 찾아오신 아버지

그런데 나의 대학 생활은 이러한 높은 이상의 것들과는 좀 달랐던 것 같다. 나의 인생에서 어떠한 목적을 두고 무엇을 공부해야 하는지 생각할 수도 없을 정도로 시간은 늘 부족했고 빨리 지나갔다. 다른 학교에 비해 그 당시 홉킨스대학은 서클활동이나 동아리 활동이 많지 않았던 것 같았다. 그때 나에게는 학교생활에서 물밀듯 몰려오는 스트레스를 날려버릴 건전한 뭔가가 필요했다. 운동이 필요했다. 어려서부터 배워온 태권도를 다시 하자! 정기적으로 하려면 내가 클럽을 하나 만들면 어떨까 하는 생각이 떠올랐다.

그래서 대학 3학년 때에 태권도 클럽을 만들게 되었다. 몇몇 친구들과 서베이를 해보니 만약 클럽이 생기면 조인하겠다는 숫자가 꽤 되었다. 그렇지 않아도 공부가 바쁘다는 핑계로 운동을 소홀히 했는데 마침 잘 되었다는 생각을 했다. 클럽을 조직해서 플라이어를 뿌리고 게시판에 포스터를 달아〈홉킨스 태권도 클럽〉을 오픈한다는 광고를 내었다. 학교 짐네이지엄의 레슬링 룸을 빌려 월, 수, 금 저녁 7–8시에 클래스를 갖고, 한 학기당 40불 회비를 받기로 정했다.

처음 모인 숫자가 스무 명 정도였고 두 달이 지나자 40여 명

으로 학생들과 두 명의 교수도 참여했다. 학기가 끝날 때엔 뉴욕에서 사범을 모셔와서 승급 심사를 하였고 급증을 수여하기도 했다. 그리고 매년 한 번씩 학생들에게 태권도시범도 보여주었다. 2년간 내가 대학을 졸업할 때까지 성공적으로 이끌어 나갈 수 있었다.

　나는 타이베이에서부터 태권도를 배웠다. 내가 배운 태권도는 국제태권도연맹에 속했고, 당시 한국에서 타이완 군대에 태권도를 보급하기 위해 파견된 사범들에게서 직접 배웠다. 미국에 와서도 꾸준히 배운 턱에 유단자 자격을 취득하고 있었다. 한국 고유의 무술이라는 점도 있지만, 내가 태권도 클럽을 연 것은 한국인은 물론 아시아인이 몇 안 되는 미국대학의 환경 속에서 미국인들에게 내가 태어나고 자라난 한국의 존재를 알리고 누리는 방법 중 하나였다. 또 내가 직접 태권도를 가르치는 입장에서 지도력을 키울 수 있었고, 한국인의 정체성을 더욱 뚜렷하게 알릴 수 있는 기회이기도 했지만 그 자체가 나를 행복하게 해 주었다.

고마운 나의 대학교

"영주권이 아직 안 나왔다구?"

내가 대학 1학년 2학기 때, 존스 홉킨스대학교 갈란드 홀에 있는 Office of Financial Aid 디렉터로 있던 미스터 존슨이 나에게 던진 말이다. 1973년 대학을 입학할 때, 첫 학기 학비로 쓰라고 아버지가 나에게 2,500불을 주셨다. 첫 학기 등록금은 1,500불이었다. 그 당시 학비가 비싸다는 사립대학교 1년 등록금(Tuition)은 3,000

불 정도였다. 여기에다 기숙사와 카페테리아 식비인 1,500불을 합하면 총 4,500불 정도의 자금이 필요했다. 지금 2020년도 존스 홉킨스대학교 등록금만 해도 5만5천여 불, 거기에다 기숙사와 식비 2만 불을 합하면 총 7만5천여 불이 필요하다. 1973년 후로 학비가 15배 이상 오른 셈이다. 그러나 지난 47년간의 인플레이션을 감안했을 때, 1973년도의 4,500불은 2020년도의 2만6천 불에 비교된다고 한다. 모두 알다시피 미국의 대학교 등록금은 아직도 계속 상승세를 보이고 있는 편이다.

그때도 지금과 같이 외국인 학생의 신분으로 미국의 대학교에서 장학금을 받기가 어려웠다면, 론(Loan)을 받는 것은 거의 불가능한 일이었다. 그러나 나는 영주권 신청을 한 입장이어서 곧 영주권이 나온다는 전제 아래, 1학년 2학기에는 론을 신청해 보려고 대학교 Financial Aid오피스에 들이닥쳤다. '아직 영주권이 없으므로, 론 신청은 불가하다.'라는 미스터 존슨의 말에, 나는 "영주권이 나오지는 않았지만, 여기 변호사가 영주권 신청을 증명해 주는 편지로 대신해 줄 수는 없나요? 그리고 저는 학비를 낼 다른 방도가 없습니다."라고 반 우겨댈 수밖에 없었다. 한동안 고민스런 표정을 지은 그가 나에 관한 여러 서류를 다시 훑어보더니 이렇게 말했다. "그래, 그럼 한번 해 봅시다." 결국 미스터 존슨의 도움으로 2학기에는 장학금과 론으로 무사히 1학년을 마칠 수 있었다.

2학년 때에도 컬럼비아대학에서 역시 장학금과 론으로 학업을 잘 끝낼 수가 있었다. 여름 방학에 아르바이트를 하여 모아둔 돈이 조금 있긴 했지만, 학비에 보탤 정도는 되지 않았다.

3학년 1학기에 다시 홉킨스로 돌아온 나는 1학년 때에 경험했던 똑같은 시련을 Financial Aid오피스의 미스터 존슨과 다시 겪어야 했다. "그럼 영주권은 언제 나오는 거야?"라고 되묻는 미스터 존슨의 물음에 나는 시원한 답을 줄 수가 없었다. 의사나 간호사 같은 경우에는 영주권이 빨리 나왔지만, 일반인들의 이민 신청은 그리 쉽게 나오지는 않았던 것 같다. 이 일로 변호사 사무실에도 여러 번 찾아갔지만, 기다리라는 말 외에는 별 신통한 대답을 들을 수 없었다.

이렇듯 영주권을 받지 못하는 상태에서 대학을 졸업하게 될 줄을 누가 알았으랴. 나는 그런대로 성적이 좋아서, 모든 학비의 반은 장학금으로 커버되었지만, 나머지 반이 문제였다. 매번 학기가 시작될 때마다, 미스터 존슨을 만나서 사정하지 않을 수 없었던 것이다.

이렇게 일곱 번째, 4학년 2학기 때에 다시 Financial Aid

office로 향하는 나의 발걸음은 참으로 무거웠다. 한 학기를 마치면 이 대학을 졸업할 텐데, 아직까지 영주권이 안 나왔으니, 참 기가 막힐 노릇이었다. 이번에는 무슨 낯으로 미스터 존슨을 대할지 정말 고민스러웠다.

문을 열고 들어가면서, 미스터 존슨의 모습이 눈에 들어왔다. 미안해하는 나의 얼굴을 보면서, 그가 먼저 말문을 열었다. "아직 안 나온 모양이지?" 그러면서 나에게 오히려 "이제 한 학기만 끝나면 졸업이네. 축하해. 이번 학기도 지난번과 마찬가지로, 장학금과 론 신청으로 해 보지." 하는 게 아닌가.

참으로 고마운 일이 아닐 수 없었다. 미국이란 나라와는 아무 관계가 없는 내가 무슨 권한으로 장학금과 론을 받을 수 있었는지. 참 나 자신이 생각해도 내가 뻔뻔스럽기까지 했다. 내가 뭐라고 나 같은 외국인에게 장학금과 론을 주었는지 정말 고마웠다. 그야말로 큰 은혜를 입었다.

우울했던 대학 4학년

대학 1학년 때부터 줄곧 프리메드로 공부해 온 나는 4학년 때에는 의대를 지망할 계획이었다. 그러나 그 당시 유학생의 신분으로 의대에 들어간다는 것은 매우 어려운 일이었다. 영주권이나 시민권이 있는 학생들에 비해 학교 성적이 월등히 높지 않으면 의대에 들어갈 확률은 거의 없었다. 나의 학점은 좋은 편이었지만, 톱 5% 상위권에 속하는 학생들에 비해서는 차이가 났다. 공부를 좀 더 열심히 해서 더 높은 학점을 받았다면 해 볼 만도 했을 텐데, 결국 나는 나의 계획을 바꾸기로 결정했다.

"좋아. 그럼 자연과학계 박사학위를 먼저 받고 그다음에 의대를 가면 되지!" 내가 원래 하고 싶었던 분야는 의학 기초연구였다. 그러려면 의대를 먼저 간다 하더라도 나중에 기초과학 연구를 본격적으로 해야만 했다. MD와 PhD를 받는 데 있어 순서가 바뀐들 뭐 그게 대수냐? 하는 마음으로 나를 위로했다. 그러나 고등학교 때부터 늘 톱 상위권에서 놀던 내가 이제까지 꿈꿔왔던 의대를 못 간다고 생각하니 갑자기 나에 대한 실망으로 한동안 우울해지는 것을 피할 수 없었다. '내가 그동안 너무 오만했는지 모르지. 이것 또한 내가 더 강해질 수 있는 일종의 시련일 뿐이다. 인생은 길다. 지금 몇 년의 세월은 나중에 보면 내 인생에서 아주 조그마한 조각에 불가할 것이다. 힘내자!' 하면서 극복의 길로 나갈 수밖에 없었다. 나는 재빨리 GRE 시험을 치르고, 시도교수가 추천한 여러 대학의 생눌리학 박사 프로그램에 신청서를 넣었다.

현철수_ 홉킨스로 문득 찾아오신 아버지

4. 로체스터

존스 홉킨스대학교를 졸업하고 이어서 로체스터대학교(University of Rochester) 대학원의 생물리학 박사반에 들어가게 되었다. 대학교 3~4학년 때에 생물리학 교실에서 세포막연구를 했던 것이 계기가 되어서 세포막연구를 계속 이어가게 되었는데, 나는 그 계통의 권위자인 조오지 키믹 교수의 연구실로 들어가기 위해서 로체스터대학교를 택한 것이다.

인권 역사의 도시

로체스터는 뉴욕주 북서쪽에 위치한 도시로, 뉴욕주에서 2~3번째로 큰 도시이다. 1800년도 초에 Nathaniel Rochester 및 뉴 잉글랜드의 청교도들이 정착하면서 이루어진 큰 도시이다.

제너시(Genesee) 강 주변으로 농경이 쉽게 발전할 수 있는 이상적인 지역적 위치 덕에 미국에서 밀 공장이 최초로 생긴 지역이기도 하다.

나중에 코닥(Estman Kodak), 제록스(Xerox), 바우시 롬(Bausch Lomb), 웨스턴 유니온(Western Union) 같은 굴지의 회사들이 설립되면서, 미국의 산업사회에 크게 알려졌지만, 미국의 인권운동에도 크게 이바지를 한 도시이기도 하다.

특히 로체스터는 1847년에 노예 출신으로 유명한, 정치인, 웅변가 및 흑인 인권운동가였던 프레드릭 더글라스(Frederick Douglass)가 노예제도 폐지 운동을 일으키기 위하여 출판한 North Star지사가 설립되었던 곳이기도 하다. 또한 로체스터는 미국 역사상 최초로 여성 참정권 운동을 벌인 Susan B. Anthony의 홈이기도 하다. 1920년에 결정된 미국헌법 수정 제19조는 일명 Susan B. Anthony Amendment로 불리울 수 있을 정도이다. 미국 역사상 가장 영향력 있는 인권운동을 성공리에 벌였던 이 두 주인공은 로체스터대학교 바로 앞에 자리 잡은 Mount Hope Cemetery에 묻혀 있다. 이 묘지는 마치 작은 공원 같아 학생들과 학교 직원들이 쉽게 찾아 점심도 먹고 산책하는 곳으로도 유명하다.

현철수_ 홉킨스로 문득 찾아오신 아버지

로체스터는 여러모로 안정된 도시이며 살기 좋은 도시로도 알려져 있다. 특히 공공교육 시스템이 잘 되어 있어, 미국에서도 교육도시로 늘 주목받고 있다. 겨울은 눈이 좀 많이 와서 추운 편이지만, 5월이 되면 하이랜드 파크의 라일락 페스티벌을 시작으로 10월 말까지는 아름다운 날씨를 엔조이 할 수 있다. 겨울에 눈이 많이 와도, 캠퍼스 부근에 사는 학생들에게는 큰 부담이 없었다. 그 이유는 캠퍼스의 도서실과 돔 같은 주요 빌딩들이 터널로 연결되어 있어 아무리 눈이 많이 와도 별문제 없이 편하게 다닐 수 있었던 기억이 난다.

로체스터대학교

로체스터대학교는 사립 종합대학으로 1850년도에 설립되었다. 기초연구를 중요시하는 대학으로, 존스 홉킨스나 시카고 대학교와 여러모로 유사한 점이 많은 학교다. 로체스터대학교는 이스트만 코닥사의 창업자 조지 이스트만의 이름을 딴 유명한 이스트만 음대가 자리 잡고 있는 곳이기도 하다.

1925년에는 이스트만과 록펠러의 재정지원을 받아 의과대학이 설립되었다. 미국의 교육 역사에 있어, 한창 의대 교육에 선구자 역할을 했다. 1900년도 초까지만 해도, 미국의학 교육은 대부분 존스 홉킨스, 예일, 펜실베이니아대학, 컬럼비아, 다트머스를 중심으로 한 의과대학 교육 외에도, 정식 교육 절차를 밟지 않고 의사 활동을 하는 의사들이 많았다고 한다. 그래서 의료활동을 규제하고 증진시키려다 보니, 좀 더 체계적인 절차가 필요했고, 이를 위한 연구가 필요했던 것이다.

미국 의학교육의 역사는 1910년에 발표된 유명한 Flexner Report를 살펴보면 자세히 알 수 있다. Abraham Flexner는 미국의 교육자로 당시 카네기재단의 도움을 받아 미국의학교육에 대한 연구를 시작했고, 이 연구를 끝낸 후 리포트를 작성했는데 바로 이게 Flexner Report이다. 여기에 의하면, 미국 의대 교육을 당시 홉킨스 의대에서 실행에 옮겼던, 독일식의 자연과학 교육의 중요성을 주장했다. 이러한 의학교육 발전의 혁신 아래, 로체스터대학교에서는 노벨상 수상자인 George Whipple 박사를 초대학장으로 초빙해 의과대학을 1925년에 설립했다. 학교 이름이 University of Rochester School of Medicine and Dentistry이다 보니, 마치 치과대학이 있는 것 같은데 치과대학은 없는 반면, 이스트만 치과연구소가 자리 잡고 있다. 이 외에도 세계적으로 유명한 레이저계 광학연구소와 간호대학 등이 자리 잡고 있다.

1990년대부터는 '르네상스 계획'이 시작되어 더 까다로운 입학 심사와 대대적인 커리큘럼 개편을 하여, '클러스터 시스템'으로 대표되는 이 제도는 필수 이수 과목을 축소하고 학생들이 자유롭게 전공을 선택할 수 있게 하는 것으로 지금까지도 이어지고 있다. 맞춤식 교육의 선구 역할을 이끌어 나가는 대표적인 대학 중의 하나이다. 한마디로 역사와 새 시대에 도전할 수 있는 조화를 갖춘 리서치 대학이다.

내가 다니던 1970년대에는 미국 어느 대학도 한국인 학생은 별로 없었다. 로체스터대학교도 예외는 아니었다. 학부와 대학원에 각각 10명 안팎 정도였다. 학부생들은 주로 미국에 이민 온 가정의 자제들이었고, 대학원생은 나만 빼고 모두 한국에서 유학해 온 학생들이었다. 대학생들보다는 물론 내가 나이가 많았지만, 한국에서 유학 온 대학원생들보다는 적어도 3~4년 아래였다. 한국을 어려서 떠난 나로서는 나의 형뻘 되는 유학생들을 만나서 정말 좋았다. 좀 어색했던 나의 한국어 실력도 유학생들과 어울리면서 많이 늘었다. 다시 한국의 문화나 역사에 대해 더욱 더 큰 관심을 갖는 계기가 되었다.

내가 들어간 생물리학 박사반 학생은 나 외에 4명이 더 있었다. 그들의 출신교와 전공은 다양했다. 코넬대학교 물리학과, 메릴랜드주립대학교 수학과, 하버드대학교 화학과, 그리고 네 번째 학생은 내가 들어보지도 못한 대학에서 생물학을 전공했다고 했다. 그러나 내가 보기엔 그 마지막 친구가 제일 똑똑했다. 이제까지 수없이 보아 왔지만, 대학의 명성이 학생의 실력을 반증해 주지는 않는다.

콜레라 연구로 박사논문

1978년 9월에 로체스터대학원에 입학한 나는 국립보건원(NIH, National Institutes of Health)에서 주는 Predoctoral Fellowship으로 학비 전부를 부담했고, 이외에도 매달 400불가량의 생활비를 월급으로 받았다. 그 당시 대학원생을 위한 아파트에서 살았는데, 매달 렌트비가 80불 정도였으므로, 혼자서 생활하는 데는 별 지장이 없었다. 등록금만 대주어도 고마운 판국에, 이렇듯 생활비까지 충당해 주니 참 감사한 일이 아닐 수 없었다.

나는 조오지 키믹 교수의 지도 아래 〈세포막을 통한 이온과 물질의 수송 문제에 대한 연구〉를 시작하였는데 나의 연구 제목은 〈콜레라균과 세포막의 이온 수송〉에 대한 것이었다. 잘 알다시피 콜레라는 콜레라균에 감염될 때, 균이 배출하는 독소에 의해 급성설사가 유발되고 탈수현상이 빠르게 진행되어 급히 손을 쓰지 않으면, 사망에 이를 수도 있는 질환이다. 나는 닭의 소장세포를 분리해 모델로 사용하면서, 콜레라균 독소가 상피세포내로 들어가 cAMP라는 케미컬 생산을 증가시켜 세포막내에 위치한 이온의 통로에 어떠한 영향을 주는지를 분석하는 연구를 했

다. 다행히 연구가 원만히 진행되어 4년 반 만에 논문을 끝낼 수 있었다.

이어서 나는 박사후연구원 생활을 하기 위해 시카고대학교로 가기로 결정했다. 그곳에 콜레라균 독소와 세포막의 이온수송문제 등 설사질환의 대명사로 불리웠던 마이클 필드 교수가 있었기 때문이었다.

사과의 향기로 맺은 인연

1978년 가을, 처음 만난 아내는 뉴욕 롱아일랜드에서 고등학교를 졸업하고 로체스터대학교로 입학해 온 freshman이었다. 얼굴이 약간 동그랗고 해맑은 표정을 지닌, 때가 묻지 않은 청순한 모습으로 다가왔던 그때의 아내의 모습은 지금도 생생하다.

"안녕하세요? My name is Mikyong, and I am in my first year." 밝은 표정의 웃는 얼굴로 다가왔다. 특히 눈이 크고 예뻤다. "Oh, Hi! Call me Chul. I am in graduate school." 아마 이렇게 인사를 나누지 않았을까. 그 후 교회 생활을 같이 하면서 자주 얼굴을 보게 되었다. 같은 해 추수감사절 Break이 끝난 다

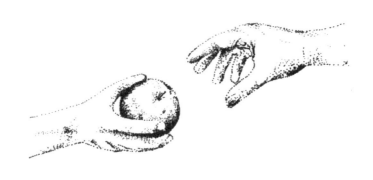

음 주로 기억이 난다. 나는 그 당시 내가 즐겨 찾아다니던 화학부가 위치한 허치슨 빌딩 안의 칼슨 도서실에서 공부하고 있었다. 그녀가 롱아일랜드 집에 갔다가 캠퍼스로 다시 돌아왔다. 아무도 없는 도서실에 나 혼자 앉아 있는데, 'Hi!' 하고는 나에게 다가오면서 환하게 웃었다. 아이 얼굴 만한 크고 탐스러운 사과를 손에 들고 있었던 그녀는 사과를 내게 건네주면서 "This apple tastes great. Do you want it?" 하는 게 아닌가? 물론 나는 그 사과를 냉큼 받아먹었다. 아마 내가 그때 그 사과를 받지 않았으면, 아내와 나는 함께 하지 않았을까? 아담이 이브가 준 사과를 받아먹은 것처럼.

아내는 1971년도에 미국으로 이민 온 가정의 1남 2녀 중 장녀였다. 2년 위의 오빠와 5년 아래 여동생이 있다. 그 당시 장인,

장모님은 롱아일랜드에서 세탁소를 경영하고 계셨다. 교회 생활에 충실하면서 자식들을 위해 열심히 사는 그런 부모님이셨다. 아내는 장녀라서 그런지는 몰라도 내 눈에는 5살 위인 나보다도 성숙해 보였다. 동생은 물론 오빠와 부모님까지 챙기는 마음씨가 심지어 어른스럽기까지 했다. 근면한 부모님 아래 똘똘 뭉치는 세 남매의 우애가 참 보기 좋기도 하고 심지어 부럽기까지 했다. 우리 집은 형제라고는 남자 둘밖에 없다 보니 집안의 분위기는 좀 딱딱한 편이었고 또한 형제가 늘 떨어져 있으니 서로 간의 우애를 다질 기회도 없었다. 그런 우리 집과 아내의 가정과는 대조적이 아닐 수 없었다.

아내와 나는 여러 곳을 다니면서 데이트를 했다. 학교 도서실, 캠퍼스 커피숍, 로체스터의 여러 공원들 그리고 차 안에서도. 같이 공부하다가 배가 출출하다고 밤 10시에 Wegman 그로서리를 찾아간 건 너무 많아 셀 수 없을 정도다. 같이 공부하다가 좀 지루해지면 Pittsford Mendon Pond 파크에 있는 Bird song Trail에 가서 걷기도 했다. Letchworth State Park를 비롯해 나이아가라 폭포 등은 우리가 자주 찾는 드라이브 코스였다. 2년간 줄곧 데이트를 해왔던 우리 둘, 1982년 여름쯤인 것 같다. 나이아가라 폭포에 드라이브를 나갔다. "우리 결혼하자." 하면서 일종의 '제안' 같은 프러포즈를 했다. 지금 돌이켜 생각해봐도 확실히 멋쩍은 프러포즈임에는 틀림이 없었던 것 같다. 나중에 슬아에게 이 이야기를 해 주었을 때 "어떻게 무릎도 꿇지 않고 프러포즈를 했느냐?"고 여러 번 혼이 난 적이 있다.

우리는 1982년 10월 10일 로체스터 감리교회에서 부모님과 친구들의 축복 아래 약혼식을 올렸다. 그리고 약 두 달 후 1982년 12월 5일 부모님이 다니던 뉴욕 후러싱 제일교회에서 결혼식을 올렸다. 초겨울이었음에도 불구하고 날씨가 춥지 않아 근처에 있는 식물원에 가서 사진 촬영도 잘할 수 있었다.

5. 시카고

김치김밥

12월 20일 로체스터에서 마지막으로 박사논문을 발표하고 디펜스를 성공리에 끝냈다. 디펜스를 하고 나니 마음이 한결 가벼워졌다. 시원섭섭하다고나 할까, 마음이 들떠 잠이 올 것 같지 않았다. 정말 이제는 다 끝난 셈이었다. 로체스터에 공부하러 온 것이 엊그제 같은데 벌써 5년이 지나고 마침내 박사과정이 다 끝난 것이었다. 일전 한 푼 학교에 내지 않고 순조롭게 모든 과정을 마친 것이 꿈만 같았다. 인제 남은 것은 내년 5월에 졸업식에 와서 졸업장만 받으면 되는 셈이었다.

마침 그날 저녁 교회에서 크리스마스 캐롤링을 간다고 해서 아내와 나는 같이 조인하기로 했다. 밴을 타고 목사님을 비롯해 여러 교우들과 함께 이 집 저 집을 방문하며 캐롤을 불렀다. 마침 그때 가볍게 눈이 휘날리기 시작해서, 화이트 크리스마스의 기분을 더욱 실감 나게 해주었다. Pittsford에서 Fairport로 로체스터의 전 지역을 누비다시피 각 교인들의 집을 찾아다니면서 'We wish you Merry Christmas…'를 신나게 부른 기억이 새롭다. 방문한 교인의 가정에서 캐롤링 대원들을 집안에 들어오라 하여 맛있는 간식까지 챙겨주니 즐거울 수밖에 없었다. 그때 어느 장로님 댁에서 대접받은 군밤은 옛날 서울 겨울밤 길거리에서 사 먹었던 군밤의 맛을 상기시켰다.

캐롤링을 하고 집에 돌아오니 12시가 넘었다. '자, 이제 디펜스도 끝났겠다.' 그때까지도 나의 마음은 가라앉지 않고 들떠 있었다. 아니, 그럴 수밖에 없었다. 얼마나 기다리던 시간이었던가. 공부하면서 '이게, 이렇게 해서 과연 이루어질까?' 하며 고민했던 많은 실험을 해 오면서 반신반의했던 나의 지난 모습들. 언제 끝을 낼 수 있을까? 했던 모든 일이 막 머릿속으로 밀려 들어오는데… 정말 하나님이 보우하사, 아, 이젠 다 잘 끝났구나. 앞으로의 시카고 생활, 우리 두 사람의 부부로서의 앞길 등 너무 많은 생각에 잠을 이룰 수가 없었다.

아내가 내 마음을 읽었다는 듯이 웃으면서 말을 걸어왔다. "우리 잠도 안 오는데 시카고로 롱 드라이브나 갈까?" "1월 5일부터 일이 시작인데 아직 아파트도 결정하지 못한 상태잖아?"
하는 아내의 말도 일리가 없지는 않았다.

마치 600마일 떨어진 시카고가 옆 동네인 양, "그래 가자!" 우리는 그 자리에서 김치김밥을 말아가지고 시카고로 떠났다. 밤 12시 반이었다. 속이 출출하니 먹을 것을 준비해야 했고 김밥이 안성맞춤일 것 같았는데, 김밥에 들어가는 재료라곤 하필 김치밖에 없었던 것 같다. 그러나 그 심플한 '김치김밥'이 어떻게 그렇게 맛있을 수가 있었을까? 아내와 나는, 이다음에 태어날 우리 아이에게 이 얘기를 해주면 뭐라고 할까? 하면서 웃었던 기억이 난다.

현철수_ 홉킨스로 문득 찾아오신 아버지

신혼 살림

아내와 나는 1983년 1월 3일 로체스터를 떠나 시카고로 향했다. 자동차 뒤에 짐으로 꽉 찬 조그마한 U-Haul을 붙여서 출발했다. 많은 친구가 나와서 잘 가라고 배웅을 해주었다. 친구들이 보이지 않을 때까지 손을 흔들면서 떠났던 기억이 새롭다. 5년 간의 로체스터에서의 삶을 청산하는 그런 모멘트였다.

저녁쯤 되어서야 오하이오주를 지나쳤다. Cleveland 근처에서 하룻밤을 묵고, 다음날 1월 4일 오후가 되어서야 시카고에 도착했다. 우리는 시카고대학교 주변인 하이드파크에 위치한 Blackstone Avenue 선상에 있는 아파트로 이사를 했다.

오래전에 지은 빌딩이지만, 아르데코 스타일로 지워진 빌딩으로 우리가 이사 들어가기 1년 전에 개조되어 새집이나 다름없었다. 맨 처음 6개월간은 원베드룸에서 살다가 2베드룸으로 옮겼다. 우리의 신혼살림을 본격적으로 시작한 셈이다.

시카고는 아내와 나에게는 낯선 지역이었다. 우리 주위에 아는 친구나 친척은 아무도 없었다. 게다가 1월 시카고의 날씨는 로체스터보다 훨씬 추웠다. 미시간 호수를 통해 불어오는 강풍은 추위를 더해 주었지만, 우리는 우리 둘만으로도 몸도 마음도 충분히 따뜻하게 지낼 수 있었다.

시카고에는 여러 유명 대학들이 자리 잡고 있다. 시카고대학교 외에도 우리들에게 잘 알려진 노스웨스턴과 일리노이 시카고 캠퍼스가 자리 잡고 있다. 일리노이주립대학교의 본원은 어바나 샴페인에 있고, 노스웨스턴의 본원도 시카고 북쪽의 에반스톤에 있지만, 의과대학은 모두 시카고에 있다. 이외에도 여러 유명 대학이 있는데, 그중에는 현대 건축물의 거장인 미스 반데어 로에가 가르쳤던 일리노이 공과대학이 있다.

현철수_ 홉킨스로 문득 찾아오신 아버지

시카고대학교의 캠퍼스는 매우 특색이 있었다. 캠퍼스 중앙에는 고딕풍의 건물들이 있었고, 바깥 쪽에 위치한 의대, 법대 등은 현대식 건축물이다. 특히 나는 중앙캠퍼스의 고풍스러운 분위기가 맘에 들었다. 눈이 내리면 아내와 나는 학교 빌딩 안에 자리 잡고 있는 운치 있는 커피하우스에서 차를 마시면서 캠퍼스 안의 풍경을 내다보곤 했다.

시카고대학교 – 삶의 반환점

며칠간 이삿짐을 풀고 집 정리를 한 후 그 다음 주 목요일 Postdoc(박사후연구원)으로서의 첫 출근을 했다. 1983년 1월 6일이었다. 나의 실험실은 시카고대학병원 본관에서 좀 떨어진 기초과학 연구실이 밀집되어 있던 빌딩이었다. 주임교수인 마이클 필드 교수를 비롯해 모든 스태프를 만났다. 나와 같은 PhD나 MD 학위를 가진 연구원들이 다섯 명 있었는데 둘은 위장내과 전공의 과정을 바로 끝낸 의사들이었다. 나는 실험실에서 토끼의 대장 세포를 모델로 삼아 이온 수송에 가해질 수 있는 신경 호르몬의 영향에 대해 연구하게 되었다.

시카고대학교는 존 록펠러의 기부금으로 1890년에 설립된 사립대학이다. 노벨상 수상자를 가장 많이 배출한 학교 중 하나로도 유명하다. 시카고대학교의 학구적인 학풍은 순수학문과 기초연구에 치중하는 전통적 경향을 띠고 있어 내가 전에 다녔던 존스 홉킨스대학교나 로체스터대학교와 유사한 점이 많았다. 그래서 나의 연구실이나 주위에는 미국과 세계 각국에서 기초과학연구를 하기 위해 몰려든 연구원들로 가득 차 있었다. 내가 연구했던 분야뿐 아니라 다른 실험실 연구원들의 다양한 연구과제들을 통해 더욱 더 폭넓은 지식과 경험을 갖는데 큰 도움이 되는 환경이었다.

현철수_ 홉킨스로 문득 찾아오신 아버지

나의 연구 생활은 비교적 원만하게 잘 돌아갔다. 1984년 1월, 시카고에 온 지 꼭 1년 정도 되었을 때에 연구 성과도 좋아 학회지에 논문을 게재하기에 이르렀다. 나는 연구원 생활을 하면서도 의과대학에 입학할 생각을 줄곧 해왔다. 내가 대학을 졸업하면서 의대를 지망하려 했지만, 뜻대로 되지 않아 일단 미루자는 생각을 한 지도 벌써 6년이 넘었다.

세월은 참으로 빨리 흘러 나는 벌써 대학원 과정을 마치고 지금 포스트 닥 생활을 하고 있는 게 아닌가? 더 늦기 전에 의대에 가야겠구나 하는 생각이 다시 일기 시작했다. 그러던 중 마이애미(University of Miami) 의과대학에 PhD to MD 프로그램이 있다는 것을 알게 되었다. 이 프로그램은 자연과학계 박사학위를 취득한 사람에 한해서 MD를 2년 만에 끝낼 수 있게 만든 미국 유일의 특별 프로그램이었다.

PhD to MD 프로그램은 5월에 시작해 12월까지 8개월간에 걸쳐 의대 2년 과정을 끝마치고 1차 의사국가고시를 치르게 되어 있었다. 그리고 나머지 18개월간은 정규 4년 프로그램의 학생들과 같이 3, 4학년 임상학 과정을 밟게 되어 있었다. 신청자 대부분이 생물학, 화학, 생화학 분야의 박사학위 취득자이다 보니, 의과대학 첫 2년 과정의 여러 주요 코스들을 벌써 자신들이 일하는 대학에서 가르치고 있었던 사람들도 많았다.

다른 의대들은 신청 마감일이 지나갔기에 다음 해로 미루지 않으면 안 되는 상황이었다. 그때의 나로서는 마이애미 의대 한 곳만을 신청할 수밖에 없게 된 셈이었다. PhD to MD 프로그램은 500여 명의 신청자 중 30명을 뽑아서 그야말로 치열한 경쟁이었다. 과연 합격할까? 반신반의하면서 마감 하루 전인 2월 14일에 신청서를 제출했다. 그러면서 마이클 필드 교수에게 추천서를 부탁해야지 하고 있었는데 마침 필드 교수가 나를 불렀다. 필드 교수는 컬럼비아 의대 위장내과 주임교수로 초빙을 받았는데, 뉴욕으로 같이 가자고 제안을 하는 게 아닌가? 자신과 함께 1년을 일한 다음 컬럼비아대학의 교수로 남을 수 있도록 도와주겠다는 말도 함께 했다.

참 난감했다. 왜냐하면 바로 1주일 전에 마이애미 의과대학에 신청서를 낸 상태였고, 곧 필드 교수에게 추천서를 써달라고 부탁하려던 참이었기 때문이다. 좀 고민스러워하면서 이야기를 꺼냈다 "실은 제가 의대에 지망하려 합니다. 의대에 가려던 것은 제 오래된 꿈이었습니다."라면서 자초지종 설명했다. 그리고는 "Can you help me?" 나의 부탁에 필드 교수는 잠자코 있더니, 얼굴에 미소를 띠면서 "I understand. I will do whatever I can to help you!"라고 하는 게 아닌가.

솔직히 나는 필드 교수에게 이렇게 부탁하기까지 많이 괴로웠다. 이제 일하기 시작한 지 겨우 1년 조금 넘었는데, 떠난다고 하니 교수의 입장에서는 좋아할 일이 아니었을 테니까 말이다. 그러나 나의 이야기를 묵묵히 다 들어주고, '내가 도와줄게."라던 그가 정말 감사했다. 그때 나에게 보여준 필드 교수의 미소는 아직도 잊을 수 없다.

인생의 스승

살면서 누구를 만나느냐에 따라 인생이 결정된다고 했던가. 지금까지 나는 많은 사람을 만났고 그들의 영향을 받아 왔다. 그들의 도움 없이는 내가 지금 하고 있는 모든 일들의 반조차 불가능했을 것이다.

아내를 만난 것도 그랬고, 나의 많은 스승들도 그렇다. 내가 생물리학 박사학위를 받고 시카고대학교 연구원으로 갔을 때 나의 지도교수 마이클 필드 교수야말로 그중 한 분임에 틀림없다. 당시 시카고대학교 의대 위장내과 주임교수로 있었던 필드 교수를 내가 처음 만난 것은 1982년 여름이었다. 나는 박사논문을 끝내 가는 과정에 있었고, 연구원 자리를 알아보기 위해 인터뷰를 돌아다닐 때였다. 첫인상부터 부드럽고 따듯했다. 처음 만난 자리임에도 불구하고, 웃으면서 자연스럽게 이야기를 나눌 수 있었다. 공식적인 인터뷰임에도 질문의 대부분이 연구에 관한 이야기보다는 주로 내 개인에 관한 이야기를 듣고 싶어 했다. 그리고 자신의 패밀리와 과거 자라나온 환경에 관한 이야기도 많이 해주었던 기억이 새롭다.

나는 시카고를 떠난 후에도 여러 번 필드 교수를 만났다. 내가 조지타운 레지던트 전공의였을 때 여름휴가를 이용해 컬럼비아 대학에 가서 필드 교수와 실험을 한 적도 있었고, 그 다음에도 학회를 통해서도 여러 번 만났다. 필드 교수가 화를 내는 적을 본 적이 없고, 아무리 난감한 일이 생겨도 씩 웃으면서 '그럼 다시 한번 해 보지.' 하던 그의 모습은 나의 인생에 있어 늘 큰 귀감이 되었다. 얼마 전에 필드 교수가 메인주에 있는 자택에서 돌아가셨다는 슬픈 소식을 접했다. 고매한 인격의 소유자로 아름다운 마음을 지니고 후배들에게 행동으로 보여주고 실천했던 그분은 나 외에도 많은 사람들에게 인생의 스승으로 부족함이 없었을 것이다.

현철수_ 홉킨스로 문득 찾아오신 아버지

아내는 건축학과로

내가 연구실에서 바쁘게 생활하는 동안, 아내는 시카고에 위치한 일리노이주립대학교 건축과 대학원에 입학했다. 대학에서는 미술학을 전공했지만, 졸업 후 로체스터에 있는 어느 건축가 사무실에서 일하게 된 것이 동기가 되어 건축을 공부해 보고자 결심한 것이다. 미술과 건축의 긴밀한 관계를 생각할 때, 아내의 건축학과 진학은 어떻게 보면 자연스러운 발전이었는지 모른다. 아무튼 우리 두 사람은 각자의 주어진 일에 충실하면서 눈코 뜰 새 없이 바쁜 생활을 이어 나갔다.

주말에는 Lakeshore Drive를 타고 시내 중심가를 들어가 아내와 함께 산책도 하면서 지냈다. 다운타운의 책방과 커피숍은 우리가 단골로 찾는 목적지 중에 하나였다. 1983년 12월 결혼 1주년 기념일에 내가 아내를 위해 서프라이즈한다고 Water Tower Place 앞에 있었던 유명한 French 레스토랑으로 데려간 적이 있었다. 음식값이 너무 비싸 그 당시 돈으로 150불 이상을 썼으니, 내 월급의 10퍼센트 이상을 한 끼에 날려 보낸 셈이다.

학교와 연구실의 친구, 동료들과의 소셜 게서링 외에 주말에는 시카고 북쪽에 위치한 로렌스 지역에 있는 제일한인감리교회에 출석하여 예배를 드렸다. 우리 둘 다 성가대에 섰고, 또 교회를 통해 좋은 친구들을 여럿 만나게 되었다. 그때 만난 친구들과는 아직도 연락하면서 잘 지내고 있다.

마이애미 의대에 원서를 낸 지 불과 두 달 반 만에 기다리던 소식이 왔다. 5월 초순경 마이애미 의대에서 인터뷰하자는 통지가 온 것이다. 아내와 나는 매우 흥분되어 며칠간 잠을 잘 수가 없었다. 나는 그 당시 곧 뉴 올린스에서 열리는 학회에서 발표할 준비로 바빴는데 감사하게도 마이애미 PhD to MD 프로그램을 졸업한 Tulane 의대 내과 교수 한 분과 리저널 인터뷰를 하라고 어렌지해 주었다. 덕분에 나는 뉴 올린스에서 인터뷰를 잘 하고 시카고로 돌아왔다. 두 번째 인터뷰는 시카고에 거주하는 정신과 교수 한 분과 했다. 두 번째 인터뷰가 있고 1주일이 지나서 마이애미 의대 윌리암 애와드 학장으로부터 전화가 걸려왔다.

"Chul, Congratulations on your acceptance!"

"Thank you, Thank you very much."

나는 전화를 끊은 다음에도 실감이 나지 않았다. 아내와 나는 그 이튿날 밤부터 짐을 싸기 시작했다. 그때가 5월 15일경이었으니, 5월 28일 학교가 시작하기 전까지 마이애미로 내려가 아파트를 구하려면 시간이 별로 없었기 때문이다. 아내는 대학원을 1년 끝냈으니 다음 과정은 다른 학교에서 하자고 결정했다.

자신만의 페이스를 유지해라

1984년 5월 의대 입학 – 나의 대학 동창들보다는 7년 늦게 들어간 셈이다. 그나마 의대를 2년 안에 마칠 수 있었기에, 7년에서 5년으로 줄어들었다. 물론 나는 그 5년을 대학원과 박사후연구원 생활을 통해 많은 경험을 얻긴 했지만, 인턴, 레지던트 그리고 펠로우 모든 과정에서 결국 5년이 늦어졌다. 위장내과 전문의가 되는 모든 트레이닝을 끝낸 것은 1992년, 내 나이 38세였다. 30대에는 이렇게 늦어진 의사 생활에 대해 신경이 쓰인 것은 사실이지만, 나이가 차츰 들면서 5년이란 세월은 눈 깜짝할 시간임을 깨닫는다. 의사든 무엇이든 자신이 희망하는 직업이나 일이 있는데, 나이 때문에 포기해야 되지 않을까 고민하는 젊은이들이 있다면, 나는 자신 있게 이런 말을 해 주고 싶다.

"인생에 있어 5년은 극히 짧은 것일 뿐 아니라, 그 5년을 허송세월로 보내지 않았다면, 나중에는 더욱 가치 있는 삶으로 끌어

올릴 수 있다. 자신이 계획했던 일들이 일시적으로 무산될지라도 포기하지 말라. 초심을 잃지 않고 굳건히 자신의 꿈을 가지고 살아간다면, 그 꿈을 반드시 이루게 된다."라고.

인생은 마라톤이지 단거리 경주가 아니다. 조금 늦게 뛰기 시작했다고 늦게 들어가는 것은 아니다. 설상 늦게 들어간다고 그리 나쁜 것만은 아니다.

마라톤을 여러 번 뛰어본 사람들은 다 알겠지만, 뛰는 과정에서 내가 다른 사람들보다 빨리 뛰어야만 한다는 생각만을 해서는 안 된다. 물론 경쟁 의식은 불가피하겠지만, 마라톤은 다른 경주자들과의 싸움이기 전에 자신과의 싸움이다.

내가 마라톤을 뛰기 시작한 지 얼마 안 되었을 때, 뉴저지 마라톤에서 있었던 일이다. 그때의 마라톤에서 나의 목표 시간은 4시간 20분이었다. 그러니 1마일당 10분이라는 계산이 나왔다. 전반 13.1마일을 2시간에, 후반은 아무래도 좀 지칠 테니 2시간 20분에 뛰겠다는 전략을 짰다. 약 7마일 정도를 통과할 때쯤 앞에 뛰는 어느 60대 중반의 여자분이 입은 셔츠의 등에 쓰인 글씨가 눈에 들어왔다. 셔츠의 등판에 'Grandma'라고 쓰여 있었다. 그래도 한창 젊은 내가 할머니에게 뒤지면 안 되지 하면서 Grandma를 따라 뛰면서 추월하기 시작했다. 한 번 추월하면 또 따라 잡히고, 그래서 또 추월하면 또 따라 잡히고 그야말로 잡았다가 잡혔다가의 연속이었다. 그래도 나보다 15년 정도는 더 위인 Grandma를 쫓아갈 수 없다면 아예 뛰질 말아야지 하는 오기가 나기 시작했다. 그러나 용쓰고 뛰어 봤자 Grandma의 꽁무니만을 겨우 따라갈 뿐이었다. 그러다 보니 벌써 13.1마일 하프 마라톤 지점에 다다랐다. 근데 이게 웬걸, 시계를 보니 1시간 50분이 아닌가. 어라, 내 실력도 괜찮은데…. 이 정도면 4시간 안에? 라며 으쓱한 순간은 잠시. 아차, 이거 큰일났구나 하는 생각이 머리를 스쳤다. 페이싱을 잘해야 한다는 마라톤의 철칙을 잠시 잊고 있었던 것이다. 자신의 스피드에 맞추고 특히 전반에는 절대 자신보다 빨리 뛰는 러너와는 경쟁을 벌이지 말라는 마라톤의 기본 원칙에서 어긋난 행동이었다. 특히 마라톤 경험이 별로 없었던 미숙한 러너의 입장에서 볼 때 큰 과오를 범한 것이었다. 잘못을 저질렀으니 마땅한 벌을 받는다? 그래서 그런지 15마일 지점을 지나면서부터는 양쪽 다리에 큰 피로감이 느껴지더니 쥐가 나기 시작했다.

오른쪽 종아리에 급격히 찾아온 쥐, 그러더니 이젠 왼쪽 다리에도 쥐가 나기 시작했다. 천천히 뛰며 쥐를 풀어보려 안간힘을 썼지만, 풀리기는커녕. 허벅지에까지 쥐가 나기 시작했다. 급기야는 발가락 모두가 뻣뻣해지는 게 아닌가. 이제까지 운동하면서 모든 발가락에 쥐가 나기는 처음이었다. 그야말로 갑자기 뻗정다리 신세가 되어버린 것 같았다.

Grandma를 너무 얕잡아본 나의 오만함에 후회막급이었지만 때는 이미 늦었다. 잠시 멈춰 다리를 펴서 쥐를 풀었다. 그리고 다시 뛰기 시작했지만 다시 쥐가 났다. 쥐를 풀어가면서 조금씩 걷다 뛰는 방법밖에는 없었다. 결국 마지막 10마일은 반은 걸어가면서 휘니시라인으로 들어간 게 5시간 15분. 후반의 하프 마라톤은 3시간 25분이 걸린 셈이다. 그래도 중간에 포기하지 않고 아픈 다리를 질질 끌면서 휘니시라인을 넘었으니 천만다행이었다.

사람은 겉모양만 가지고 판단하면 안 된다는 것 외에도 인생은 우리 자신의 페이스에 맞춰야 한다는 커다란 교훈을 나에게 안겨준 사건이었다.

성공적인 마라톤과 인생은 빨리 휘니시라인으로 들어가는 것이 아니다. 자신의 페이스에 맞추어 부상 당하지 않고 건강한 모습으로 들어가는 것이 목표다. 옆에 사람이 빨리 뛰든 걸어가든 나와는 무관한 것이다. 나보다 늦게 뛴다고 그에게 우쭐할 필요가 없는 것처럼, 나보다 빨리 뛴다고 스트레스받을 필요는 더더

현철수_ 홉킨스로 문득 찾아오신 아버지

욱 없다. 나에게는 자신만의 페이스가 있고 거기에 충실히 따르며 겸허한 마음가짐으로 뛸 뿐이다.

우리 삶의 성공 여부는 단기간의 성과에 의해서 결정되는 것은 아니다. 마라톤과 같이 인생도 긴 과정이다. 뛰는 과정 그 자체를 최대한 즐기며, 도중에 만나는 역경을 극복해 가면서 자신의 페이스를 끝까지 유지하는 것만이 인생을 잘 살아가는 방법인 것이다.

6. 마이애미

꿈의 길을 달리다

5월 20일경으로 생각된다. 이삿짐은 무빙센터를 통해 부치고, 아내와 나는 2박 3일 드라이브 여행 일정을 가지고 마이애미를 향해 출발했다. 6월부터는 정신없이 바쁠 테니, 그전에 조금이나마 여행하면서 즐기자는 것이 우리의 계획이었다. 시카고를 떠나 8시간 정도 지난 다음에 테네시의 스모키마운틴의 산장에 도착했다. 거기서 하루를 지내고, 이튿날 플로리다로 향해 떠났다.

조지아를 거쳐 플로리다에 들어가면서 주위의 호텔에서 또 하루를 묵으면서 쉬었다. 다음 날 아침 일찍 일어나 마이애미를 향해 출발했다. 플로리다에 들어가니 시카고에서는 볼래야 볼 수도 없었던 다채로운 색깔들의 꽃들과 유난히 빨간 꽃들이 눈에 들어왔다. 내가 운전하는 동안 아내는 줄곧 '와, 정말 아름다워요!'를 연발했다. 나는 속으로 앞으로 다가올 2년 간의 학교생활에 대해 은근히 걱정이 많았지만, 아내가 플로리다의 아름다운 자연과 꽃을 맘껏 즐기겠거니 생각하니, 그래도 조금은 위안이 되는 것 같았다. 아무튼 그때 우리는 시카고 겨울의 매섭고 추운 바람에서 벗어난 것만으로도 큰 자유를 얻고 해방된 느낌이었다.

그러나 지난 1년 반의 시카고 생활 역시 얼마나 감사한 일이었던가? 아는 사람 하나도 없는 새로운 도시 시카고에 살면서, 짧은 기간에 많은 일들을 성취한 셈이었다. 좋은 학교에서 성인군자 같은 선생님 아래서 순조롭게 연구 생활을 마치고, 내가 원했던 의사가 되는 새 인생의 향로를 향해 또 나아갈 수 있었으니참 꿈만 같았다.

바다 – 쿠바 – 헤밍웨이

플로리다에 처음으로 온 유럽 출신의 탐험가 후안 폰세데 레온은 '꽃의 축제'란 뜻으로 플로리다라고 이름을 지었다고 한다.

과연 그 이름이 시사하는 것처럼 플로리다에서는 사시사철 수많은 종류의 꽃들을 볼 수 있을 뿐 아니라, 희귀한 열대식물들을 쉽게 접할 수 있다. 꽃과 정원을 좋아하는 아내에게는 마치 천국과도 같았다.

마이애미의 광활한 바다와 푸른 공간들, 깨끗한 공기와 거리는 세계적이다. 바다 외에도 마이애미를 상징하는 것들 중 두 가지를 대라면, 쿠바와 헤밍웨이일 것이다. 1970년대 쿠바 카스트로의 정권을 피해 수많은 쿠바인들이 미국으로 망명을 해 왔는데 대부분 마이애미에 정착했다. 그래서 마이애미에서는 쉽게 쿠바의 문화와 접할 수 있는 기회가 많다. 스페인어는 물론 음식, 예술 문화 다방면으로 쿠바의 냄새를 느낄 수 있다. 헤밍웨이가 말년에 거주했던 미국 최남단의 키 웨스트도 드라이브로 2-3시간 정도이다 보니 쉽게 갈 수 있었다.

마이애미에 도착해 학교 근처의 호텔에서 하룻밤을 묵었다. 그리고 그 다음 날부터 아파트를 헌팅하기 시작했다. 시간이 없다 보니 미리 와서 아파트를 찾아 놓을 여유가 없었던 것이다. 그래도 우리는 아무 걱정이 없었다. 호텔에서 지내면서 며칠 안에는 아파트를 찾을 수 있을 거라고 비교적 여유(?) 있게 생각했다. 다행히 학교에서 40분 드라이브 거리에 비교적 조용하고 교통도 편한 켄달이라고 하는 지역에서 아파트를 찾아 그 다음 날 이사를 했다. 이삿짐이 곧 도착해서 정리하고 한숨을 돌리니 어느덧 학교 오리엔테이션이 3일 후로 접어들었다. 모든 등록과정을 마치고 5월 28일부터 수업에 들어갔다.

굵고 짧았던 PhD to MD 프로그램

PhD to MD 프로그램 클래스에는 꼭 30명의 학생이 있었다. 평균 나이가 32세, 그 당시 나보다 약 2년 정도 위였다. 박사학위를 받은 후 평균 4년이 지난 경력의 소유자들이었다. 7명은 벌써 대학에서 교수 생활을 하다가 왔다고 했다. 좀 나이가 들어 의대에 진학한 만큼, 학생들의 학구열은 실로 대단했다. 2년의 정기 코스를 8개월에 끝내야 하니, 모든 학과목의 진도는 매우 빠를 수밖에 없었다. 스케줄도 아침 8시부터 오후 6시까지 점심 시간만을 빼고는 별 빈틈이 없었다. 토요일에도 오후 2시까지 클래스가 있었고, 일요일마저도 그룹 스터디가 아니면 선택적 복습시간이었는데 대부분 학생들이 참여했다. 낮에 몸이 노곤해져서 잠이 올 때에는 스낵 바에 가서 에스프레소에 설탕을 넣어서 달게 마시곤 했다.

통학은 나의 아파트 지역에 사는 친구들 2명과 함께 카풀을 해서 다녔다. 학교를 오가는 시간이 총 1시간이 넘으니, 이 시간이 아까워, 차 안에서 문제집을 풀면서 서로에게 퀴즈를 주고받았다. 따로 운동할 시간은 없었지만, 학교에서 돌아오면, 무조건 집 앞에 있던 풀장에 들어가 수영을 하면서 몸을 풀었다.

스케줄 문제로, 주일에는 자주 교회를 아내와 같이 못 가는 날들이 많았으나 간혹 토요일이나 일요일 저녁에 아내와 함께 외식하고 산책하는 재미도 쏠쏠했다.

마이애미에는 그 당시 건축학과 대학원이 없었기에 아내는 대학원 생활을 중단할 수밖에 없었다. 다행히 코럴 게이블스 마이애미 대학교 캠퍼스 근처에 있는 건축사무실에 채용되어 직장생활을 시작할 수 있었다. 좋은 동료 직원들을 만나 건축에 대한 실용적인 것들을 많이 배워갈 수 있어 나중에 큰 도움이 되었다.

처음 겪은 임상수련

마이애미에서의 생활이 어느덧 8개월이 지나서 12월이 왔고, 미국의사 국가고시 파트 1(의대 2년을 끝내고 보는 시험)을 치르게 되었다. 다행히 클래스 30명 모두 좋은 성적으로 패스했다. 덕분에 크리스마스와 새해를 편안한 마음으로 맞이할 수 있었다. 다음 해 1월부터 임상 코스 과정을 시작했는데, 나의 첫 실습은 정신건강 의학과(정신과)였다. 임상을 처음 배우는 입장에서 정신과부터 배우게 된 것은 참 잘된 일이었다. 정신과에서는 물론 영상의학이나 혈액검사를 통해서도 진료하지만 가장 기초적으로 중요한 것은 환자 인터뷰였다. 환자의 몸을 직접 만지고 점검하는 신체검사, 혈액검사나 CT 등의 여러 검사를 종합하는 진단 과정에 치중하는 다른 학과와는 달리, 정신과에서는 대부분 환자와의 대면 인터뷰를 통해 진단하고 치료에 대한 처방이 따르게 된다.

정신과에서는 이제까지 한 번도 대면한 적이 없는 환자를 바로 앞에 앉히고, 간단한 인사를 시작으로 상담이 시작되곤 하였다. 교수가 어떤 말을 걸고 환자의 상태를 파악하기 위해 어떠한 내용으로 대화를 이끌어 나가고, 질문을 하는지 관찰하면서, 환자들에게 직접 적용시키고 연습할 수 있는 좋은 기회였다. 어떤 경우에는 환자의 상태가 원만한 대화를 이끌어 나가기가 어려웠던 케이스들도 있었지만, 그 와중에서도 환자와의 대화에서 묻는 것 못지 않게 환자의 말에 귀를 기울이는 것도 중요했다. 환자의 말을 경청하면서 그들의 마음을 읽고, 그에 맞추어 적절한 대화를 유도하는 일은 쉽지만은 않았다. 더구나 미국의 다양한 인종적, 사회 문화적 배경이 다른 환자들을 보면서, 의료는 단순히 내가 생각했던 것처럼 실험실에서 증명해 낸 사실들에만 근거를 두면 안 되겠다는 것을 깊이 깨닫는 계기도 되었다.

정신과에 이어 내과, 산부인과, 외과 등 모든 실습을 잘 마쳤다. 이 중 내과는 나의 적성에 잘 맞았다. 환자와의 상담을 통해, 진료과정에서 꼭 필요한 검사를 하나씩 해 가면서 해결책을 풀어나가는 논리적 과정이 마음에 끌렸다. 내분비내과, 류마티즘 내과, 그리고 위장내과가 가장 마음에 들었는데, 이 중에서 위장내과는 지난 7년간 장세포를 분해하면서 세포막의 이온 수송문제를 연구해온 나의 입장에서 특히 더 끌릴 수밖에 없었다.

'그럼 일반 내과를 하고 위장내과를 들어가자.' 전문의 분야에 대한 내 마음은 곧 결정되었다.

그 당시 내과 병동에서 가장 기억에 남는 일은 에이즈 바이러스에 감염되어 입원한 환자들의 문제들이었다. 마이애미는 미국에서 에이즈가 처음으로 가장 많이 발견되기 시작한 지역 중 하나이다. 원래 성병이 가장 많은 곳으로 알려졌던 지역이어서, 마이애미에는 에이즈 환자가 날로 상승하고 있었고, 그들은 시간이 흐를수록 복합증으로 죽어 나갔다. 신체의 면역, 저항력이 저하되면서 폐렴과 곰팡이균 등 감염질환 그리고 암질환 등으로 서서히 죽음에 이르렀다.

지금은 많은 치료제가 있어, 에이즈가 더 이상 죽을병이 아닌 하나의 만성질환으로 분류되지만, 1980년도 당시에는 '처참하게 죽는 병' 그 자체였다. 에이즈 환자들을 돌보면서 혈액 주사를 놓거나 혈액을 채취하는 경우가 허다했는데, 바늘에 찔리는 두려움 등 환자와의 접촉에서 생길 수 있는 오만 가지의 걱정들은 나를 잠시나마 괴롭혔다.

1985년 겨울은 바빴다. 북동부 쪽에 위치한 여러 대학병원에 인턴쉽 신청서류를 제출하고 겨울에는 인터뷰 여행을 하게 되었다. 드디어 1986년 4월, 내가 어느 병원으로 인턴/레지던트를 하게 될지 결정되고 발표되는 날이 다가오고 있었다. 그날은 아내도 학교에 나와 같이 와서 내가 어느 병원으로 매치가 되는지 알기 위해 조마조마한 마음으로 발표를 기다렸다. 나의 장래가 결정되는 그런 순간이었다.

'조지타운 대학병원!' 나의 톱 초이스 중 한 대학병원이었기 때문에 나는 기뻤다. 아, 인제 두 달 후면 워싱턴DC로 가는구나! 언제 끝나나 했던 지난 2년 동안의 눈코 뜰 새 없이 바빴던 생활, 그 세월이 벌써 다 지나가고 졸업식이 바로 눈앞에 다가오고 있었다.

7. 조지타운

1986년 5월 말, 나는 아내와 부모님, 친구들의 축복을 받으면서 의대를 졸업했다.

아내와 나는 지난 2년간의 마이애미 생활을 정리하고 6월 초에 워싱턴DC를 향해 떠났다. 짐은 부치고, 우리는 다시 드라이브 여행으로 동부 해안을 끼고 올라가자고 결정을 보았다.

차가 두 대여서, 뉴욕에 사는 처제가 와서 아내와 함께 차 한 대를, 나는 다른 한 대를 각각 운전했다. 불과 2년 전에 시카고에서 마이애미를 향해 내려왔던 것처럼, 이제는 마이애미에서 워싱턴DC를 향하는 길에 오른 것이다. 첫 스톱은 올랜도. 잘 아는 장로님 댁에 들러서 식사 대접을 받았다. 그 댁에서 하루를 묵고 올라오면서 사우스캐롤라이나의 찰스턴을 지나왔다. 우리의 두 번째 스톱이었다. 관광을 하고 그 다음 날 버지니아 알링턴에 있는 타운하우스에 도착했다.

우리 둘의 워싱턴DC에서의 첫 보금자리였다.

조지타운 대학병원

조지타운대학교, 우리 한국인에게는 꽤나 익숙한 이름이다. 조지 워싱턴이 미국의 초대 대통령으로 취임하던 1789년에 세워진 대학이다. 조지타운 외에도 워싱턴DC에는 조지워싱턴대학교, 아메리칸대학교 등이 있다. 마이애미 의과대학병원인 잭슨 메모리얼 병원에 비하면 조지타운 대학병원은 훨씬 작은 규모였다. 병동 숫자는 물론 응급실의 규모도 모두 작았다.

그런데 어찌 된 일인지, 내가 당직할 때면 물밀듯 밀려오는 환자들로 인해 잠을 잘 수가 없었다. 바쁘긴 했지만, 짜임새 있고 정돈된 환경 속에서 교수들과 선배 전공의들에게 많은 것들을 배우는 기회였다.

조지타운대학병원은 마이애미와는 분위기가 많이 달랐다. 마이애미의 비교적 자유스러운 복장이나 말투와는 대조적이었다. 라운딩할 때의 전공의들의 복장은 정중했다. 그 당시 내과과장은 듀크대학에서 온 찰스 랙클리라는 심장내과 전문의였는데, 의사의 복장 그리고 말투에 관해 보수적이고 엄격한 편이었다. 의사의 태도나 복장이 의사의 신뢰도에 영향을 미치는 것은 당

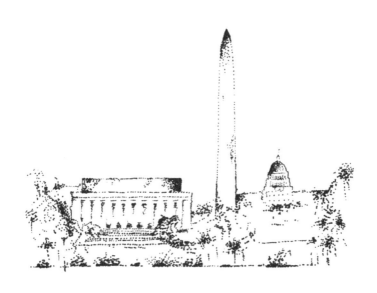

연하다. 아무튼 라운딩할 때면, 모두 넥타이를 매야 했고, 발표 때에도 신중에 신중을 기해야 했다.

나의 인턴 첫 실습은 암병동 근무였다. 암병동에는 약 20여 명의 환자가 입원하고 있었는데, 대부분 항암치료를 받기 위해 들어온 환자들이었다. 주로 3기 이상의 암환자들이다 보니 완치율은 그리 높지 않았다. 나는 여기서 각종 암질환 진료에 대해서 배우고, 환자들과도 많은 대화를 나눌 수 있었다.

말기 암 환자들의 경우, 자신이 곧 죽어가고 있다는 현실을 받아들이려는 사람들도 있었지만, 더러는 깊은 우울증에 빠져 괴로워하는 환자들도 있었다. 그럴수록 환자뿐 아니라 가족과의 대화는 매우 중요했다. 그러나 근본적으로 완치해 줄 수 없는 병, 곧 죽음이 서서히 다가오는 현실, 여기서 의사가 환자를 위해서 뭘 할 수 있을까? 특히 10대 20대 혈액암 환자들이 사망했을 때는 스태프 모두가 우울했다.

죽음과 현대의학의 한계점을 직접 보고 느낄 수 있었던 나의 인턴쉽의 시작이었다.

아내의 대학원 편입

조지타운에서 내과 전공의 생활을 하면서 우리는 자그마치 세 곳에서 살았다. 툭 하면 이삿짐 싸고 이사하는데 익숙(?)해져 있던 우리로서는 큰 어려움은 없었다. 첫해 내가 인턴 생활로 눈코 뜰 새 없이 바쁠 때는 조지타운에서 가까운 버지니아주의 알링턴에서 살았다. 두 번째 해에는 메릴랜드 벨츠빌, 그리고 3년째 되면서 다시 버지니아주의 매클레인에서 살았다.

버지니아주의 여름은 정말 무더웠다. 어떤 면으로는 마이애미

에 있을 때보다 더위로 더 고생한 것도 같다. 마이애미는 어떤 빌딩이든 실내 구석구석 냉방 장치가 잘 되어 있었고, 아파트에도 풀장이 여러 개 있어 쉽게 몸을 식힐 수 있었던 반면 워싱턴 DC는 그렇지 않았다. 하루는 온도가 거의 100도로 올라간 습한 날이었는데, 아내와 나는 집 앞의 그러서리에 가서 큰 수박 하나를 사가지고 와서 그 자리에서 다 먹어 해치운 적이 있다. 그 후 밤새 화장실을 드나든 기억이 나 지금도 알링턴 하면 그 생각이 떠올라서 웃을 때가 있다.

　내가 2년 차 레지던트 생활로 접어들면서 아내는 칼리지 팍에 있는 메릴랜드주립대 대학원 건축학과에 편입해 지난 2년간 쉬었던 공부를 다시 시작하게 되었다.

우리가 이사한 벨츠빌이라는 지역은 조지타운대학병원과는 좀 떨어졌지만, 아내가 통학하기에는 안성맞춤이었다. 아내의 학교생활은 무척이나 바빴다. 아침에 나가면 저녁이 되어서야 집에 돌아왔고, 수많은 밤을 새우면서, 프로젝트를 해야 했다. 내가 의대를 다니면서 공부한 것보다 더 열심히 했던 것 같다. 나 역시 3일에 하루는 당직이다 보니 집에 못 들어왔고, 또 거기에다 중간 중간에 문라이팅을 하다 보니, 어떨 때는 이틀간 집에 못 들어가는 경우가 허다했다. 집에 들어와도 하룻밤 자고, 그 다음 날 또 당직이 계속되는 생활이었다. 그래서 나는 큰 가방에다 양말과 속옷들을 2–3세트씩 가지고 다녀야 했고, 아내와 함께 저녁 먹는 일은 일주일에 한두 번 정도였던 것으로 생각된다.

아버지의 위암 발병

인턴 생활에 접어들어 한창 익숙해갈 즈음, 마이애미에 계시던 부모님한테서 전화가 걸려왔다. 아버지가 혈변과 빈혈이 있다고 주치의가 속히 내시경 검사를 받으라고 권유했다는 말씀이었다.

그 다음 날 조지타운병원으로 오시게 해서 내시경과 복부 CT 검진을 받은 결과 조기위암으로 진단이 내려졌다. 천만 중 다행이라고 생각하고, 서울에 있던 형과 상의 끝에, 그 다음 주 서울대학병원에 입원하여 곧바로 수술을 받으셨다. 다행히 조기 발견된 위암이라 예후도 좋았고 잘 회복하셨다. 그 후 부모님은 약 2년간 서울의 외곽지역에서 편안한 생활을 하셨다. 뜻하지 않은 역이민을 하시게 된 것이다.

펠로우쉽은 어디로?

2년 차 레지던트를 끝내고, 마지막 해 3년 차로 접어들었을 무렵부터 조금씩 시간 여유가 생겼다. 그러면서 조금씩 워싱턴DC를 둘러보기 시작했다. 솔직히 이사 온 지 2년이 지났지만, 병원과 집 근처를 빼놓고는 돌아다닌 적이 별로 없었다. 국립자연사박물관, 국립미술사박물관, 국립박물관 등 많은 박물관이 있는데 3년이 되도록 한 군데도 가지 않았다면, 누가 믿을까?

3년째에는 주로 선택과목들을 실습하게 되었다. 나는 위장내과 전공을 꿈꾸면서, 어디를 가야 할지 계획을 세우기 시작했다. 여러 대학병원에 신청하는 시간이 다가왔다. 펠로우쉽도 레지던트 신청과 마찬가지로, 자신이 원하는 여러 프로그램을 리스트에 올려 순위를 매긴 다음, 학교들의 결정을 기다리는 매치 방법이었다.

나의 톱 초이스는 예일 대학병원과 하버드의 메스 제너럴병원이었다. 12월에 이 두 병원을 돌며 인터뷰 과정을 마치고는 예일 대학병원을 제일 우선 순위에 넣었다. 예일이 더 마음에 들었던 건 크게 두 가지였다. 첫째는 내가 이제까지 연구해왔던 분야의 대가 중 한 분이 예일에 있기 때문이었다. 과거 시카고대학교 마이클 필드 교수는 소장세포의 이온 수송 문제의 대가인데 비해 예일의 헨리 빈더 교수는 대장세포에 대한 권위자였고, 내가 예일에 가면 빈더 교수와 일을 할 수 있겠다는 생각이 앞섰다. 두 번째는 하버드의 경우, 대학병원의 위장 내과 프로그램은 매사추세츠 제너럴, 브리검 앤드 위민스, 그리고 베스 이스라엘 세 병원으로 각각 따로 분리되어 있었지만, 예일 대학병원은 하나의 큰 프로그램으로 결집되어 있었다. 그러다 보니 예일 대학병원 교수진의 풀이 더 컸기에 자연 교수들과의 교류가 더 잦을 수 있다는 생각을 했다. 물론 교수진의 사이즈가 크다고 해서 반드

시 교수와의 교류가 많은 것은 아니지만, 그 당시 나의 생각으로
는 그랬다.

다행히 원하던 대로 예일에 매치가 되었고, 다시 6월에 뉴헤
이븐으로 이사할 계획을 세웠다. "아, 또 짐 쌀 시간이네… 뉴헤
이븐은 어떨까?" 하면서 아내와 나는 서로를 보며 웃었다.

8. 예일

뉴헤이븐에 정착

1986년부터 1989년까지 3년간의 워싱턴DC의 생활을 접고 6월 말에 뉴헤이븐 근처에 헴든이라는 곳으로 이사를 했다. 우리는 버지니아주의 매클레인의 콘도를 정리하면서 생긴 돈으로 조그맣고 아담한 개인 집을 마련할 수가 있었다.

65 잉그램 스트리트, 아내와 내가 처음으로 갖게 된 개인 주택이었다. 거리 맨 끝 쿨데삭에 자리 잡고 있어 동네는 조용했고 집 바로 앞에는 조그만 호수까지 있어 더욱 차분한 분위기를 조성해 주었다. 뒤뜰에는 아무도 돌보지 않았던 좀 거칠어 보이는 들풀들로 차 있었지만 조금만 손을 대면 충분히 정리될 것 같았다. 문제는 집 자체였다. 겉은 그래도 괜찮았는데, 내부적으로 수리가 필요한 곳이 많았다. 특히 2층에 있는 마스터 베스룸은

완전히 뜯어고쳐야 할 판이었다. 아래층의 베스룸, 부엌도 손댈 곳 천지였다. 그야말로 TLC정도가 아니라 많은 부분을 뜯어고 치지 않으면 가망이 없을 정도였다. 그래도 아내와 나는 정말 좋았다. 아래층 거실에 있는 20세기 초반에 디자인된 화이어플레이스가 맘에 들었고, 다이닝룸에서 풀뷰로 보이는 호수가 아름다웠다. 내부를 다시 디자인하고 공사하면 아름다운 집으로 바꿀 수 있다는 확신이 생겼다.

내가 조지타운에서 내과 전공의 과정을 마칠 때, 아내 역시 메릴랜드에서 대학원을 다 마치고 뉴헤이븐에 있는 Roche and Dinkloo 건축회사에 취직하였다. 그때만 하더라도 여성 건축사는 그리 많았던 것 같지 않다. 우리 기억으로는 1989년 아내가 Roche and Dinkloo사에 입사했을 때 여성 건축사로는 아내와, 함께 입사한 동료 직원 둘 뿐이었다.

백여 명의 건축사가 일하는 이 회사의 책임자였던 케빈 로쉬는 아일랜드 출신의 세계적인 건축가이다. 건축계의 노벨상으로 불리는 프리츠커상 수상자로 포드재단, 오클랜드박물관, 뉴욕의 메트로폴리탄미술관 등이 그가 설계한 건축물들로 그 명성이 대단했다. 건축가 로쉬는 조용하고 차분한 성격의 소유자였다. 나도 그를 여러 번 만났지만, 몇 년 전에 96세로 세상을 떠날 때까지 늘 검소한 자세를 잃지 않고 자신의 일에 충실했던 분이었다. 아내는 이렇듯 훌륭한 멘토 아래서 많은 경험을 쌓을 수 있었다. 로쉬는 아내에게는 물론 직간접적으로 대했던 나에게도 큰 귀감이 되어준 분이다.

예일 대학병원

뉴헤이븐은 1600년도 초에 영국에서 온 청교도들이 건설한 이래, 주위의 하트포드, 스탬포드 등과 함께 코네티컷주의 상업, 문화 교육 도시로 발전해 왔다. 1701년 설립된 예일대학교의 홈 도시로 캠퍼스가 사실상 도시 중심의 절반을 차지해서 예일이 뉴헤이븐 안에 있는지 뉴헤이븐이 예일 안에 있는지 모를 정도이다. 과거에는 도심의 치안이 열악한 편이었는데 이제는 많이 나아졌다.

주위에는 여러 대학이 있는데 서던 코네티컷주립대학교, 앨버터스 매그너스대학교, 최근에 의과대학이 생긴 퀴니피악대학교가 있고, 옆 동네인 웨스트 헤이븐에는 뉴헤이븐대학교가 자리 잡고 있다.

현철수_ 홉킨스로 문득 찾아오신 아버지

아이비대학에 밝은 우리 한국인에게는 너무 잘 알려져서 소개가 필요 없겠지만, 이제까지 내가 다녔던 대학교들과 유사하게, 예일 대학교 역시 모든 분야에 있어 기초연구 분야에서 뛰어난 학교였다. 저명한 석학들이 많이 모여있고 오랜 전통을 토대로 학구적 자원이 풍부하기는 하지만, 의대에서의 내 경험을 미루어 봤을 때 좀 더 개방적이고 진보적인 면에서 더욱 발전할 수 있을 텐데 하는 아쉬움도 있었다. 어쨌든 나는 위장 간내과 전공의로 첫해는 예일 뉴 헤이븐 병원, 세인트 라파엘 병원, 그리고 웨스트 헤이븐에 위치한 재향군인병원에서 일했다.

2년, 3년 차에는 임상실습은 많이 줄어든 편이었지만, 그 대신 헨리 빈더 교수의 실험실에서 연구 생활로 바쁜 일상이 다시 시작됐다. 이제까지는 닭, 토끼의 소장과 대장의 세포들을 모델로 삼아 세포막연구를 해왔는데, 예일에서는 쥐의 대장 세포를 모델로 삼아 연구에 임했다. 연구토픽은 궤양성 대장염이나 크론병과 같은 염증성 설사질환의 원인을 파헤치는 기초과학 연구로, 루코 트라인, 프로스타글랜딘 등 여러 종류의 염증성 마커들이 대장의 이온 수송에 어떻게 영향을 주는지에 관한 기전을 연구하는 작업이었다.

주중에는 병원에서 열심히 일했고 주말에는 그런대로 자유시간이 좀 있었다. 레지던트 때의 생활보다는 확실히 시간의 여유가 많았다. 펠로우 월급과 아내의 월급으로 우리가 생활하는 데는 큰 지장은 없었지만, 지난 15년간 여러 학교를 다니면서 빌린 론을 갚아나가는 데는 역부족이었다. 다행히 대부분의 론 페이먼트는 보류가 가능하였다. 그래도 나는 일주일에 한 번 정도는 병원으로 나가 문라이팅을 시작했는데 약간의 경제적 여유를 찾을 수 있는 방법 중 하나였기 때문이다.

주일에는 뉴헤이븐에 있는 감리교회에 가서 예배를 드렸다. 처남이 뉴헤이븐 감리교회를 창립하고 담임목사로 시무하고 있어서 자연스럽게 우리 부부는 그 교회에 출석하게 되었다.

우리는 뉴헤이븐에 이사해 첫해부터 집수리를 조금씩 해 나가기 시작했다. 주요 작업으로는 욕실 두 개와 키친을 새로 모델링하는 일이었다. 목수 한 사람을 채용하긴 했지만, 간단한 데모릴션이나 쉬운 일들은 우리 둘이서 했다. 조그만 트럭을 한 대 구입해서, 저녁에 시간이 날 때마다, 홈 디포우에 가서 sheetrock 등 필요한 자료들을 사서 집에 갖다 놓고는, 그 다음 날 목수에게 테이핑, 샌딩을 시키고 나중에 페인팅은 우리가 했다. 물론 경제적인 이유이긴 했지만, 새집에 우리 둘만의 공간을 가꾸어 간다는 의미에서 우리가 직접 집을 꾸미는 일 그 자체가 뜻깊었다. 때로는 아내의 회사 동료들을 초대해서 디자인에 대한 조언을 받기도 했다. 우리 둘의 보금자리를 처음으로 고치고 꾸미는 일은 마냥 즐거운 일이었다.

의대 교수를 꿈꾸다

세월은 참 빨리 흘렀다. 예일에 온 지 벌써 3년이 다 가면서, 오랜 세월 생각했던 대로 펠로우쉽 후 내가 새로 정착할 일터를 찾기 시작했다. 오랜 세월 동안 모든 학업과 실습이 끝나면, 학교에 남을 것이라는 생각에는 변함이 없었다. 의대의 조교수 자리를 찾기 위해 여러 군데 돌아다녔다.

뉴욕, 텍사스, 아이오와, 위스콘신 등의 여러 의과 대학들을 다니면서 인터뷰를 했다. 결국 아내와 상의 끝에 가족들이 가까이 있는 뉴욕이 나을 것 같다는 결정을 했다. 스토니 부룩 의과 대학의 조교수로 있으면서 미네올라에 위치한 윈스롭대학병원에서 근무하게 되었다. 예일대학 같은 큰 권위 있는 병원은 아니었지만, 크고 넓은 실험실 공간과 후한 연구비를 조달받을 수 있어서 마음에 들었다.

1992년 6월을 마지막으로 우리는 지난 3년 동안의 뉴헤이븐 생활을 청산하고 또 새로운 곳으로 이사할 준비를 했다. 내가 아내에게 늘 미안했던 건 나 때문에 아내가 학교와 좋은 직장을 그만 두고 떠나야만 했다는 점이다. 또한 3년간 정들었던 집, 학교, 교회, 친구들을 떠나야 한다고 생각하니 아쉬운 점이 한둘이 아니었다.

그래도 우리가 이전하는 곳이 아내가 성장한 지역이기도 하고, 양가 부모님이 가까이 계신 곳이어서 그것을 큰 위안으로 삼았다.

9. 뉴욕으로

스토니 부룩 의대 윈스롭병원

'아, 이젠 공부가 다 끝났구나!' 생각하니 시원섭섭한 마음이
겹쳤다. 1973년 미국에 와서 대학입학, 그리고 1992년 위장내과
전공의 수련을 모두 마칠 때까지 꼭 19년이 지났다.

비로소 사회인이 되는 건가? 이렇게 우리 둘은 1992년 6월
말에 뉴욕 롱아일랜드 그레이트 넥으로 이사를 해왔다.

바로 얼마 전까지만 해도 펠로우 신분이었다. 그런데 이젠 교
수로서 내 아래로 펠로우, 레지던트 학생들을 두루 거느리면서
병원을 라운딩할 때면 왠지 우쭐한 기분도 있었지만, 어쩐지 좀
어색하고 이상했다. 그러나 이런 어색했던 분위기도 순식간에
사라졌고, 손아래 후배들에게 가르치면서 일하는 것에 쉽게 적
응되어 갔다.

아내도 새 직장을 찾았다. 롱아일랜드 깊숙이 Oyster Bay에 위치한 개인 건축사무실로 건축사 5명이 일하고 있었다. 오피스빌딩, 병원의 이미징 센터 등 다양한 프로젝트를 담당하고 있었다. 아내는 새 직장에서 다시 좋은 동료들을 만났고, 즐겁게 생산적으로 일을 시작하였다.

1995년 아버지의 소천

아내와 내가 롱아일랜드에 정착해 사는 동안, 부모님은 뉴헤이븐에서 사셨다. 아버지는 1993년에 후두암이 발견되어 예일대학병원에서 항암치료를 받고 회복 중에 계셨다. 항암치료 후 경과가 좋아 거의 다 나은 상태라고 주치의도 기뻐했던 모습이 바로 엊그제 같은데, 치료가 끝나고 6개월 후에 상복부 오른쪽에 뭔가가 만져졌다. 간에 암세포가 퍼져 큰 종양으로 나타난 것이었다. 원래의 후두암이 폐와 간으로까지 퍼져서 더 이상 손쓸 수 없는 상태에 이른 것이다.

"인제 살 날이 얼마 안 남았구나."라고 실망을 하시면서도 아버지는 평정심을 잃지 않으셨다. "이것 또한 하나님의 뜻이니,

나는 괜찮다. 걱정하지 말아라." 아버지는 샌프란시스코에 계신 여동생(막내 고모님)을 한번 보고 싶다고 말씀하셔서, 어머니와 함께 두 분이 여행하실 수 있도록 곧 준비해 드렸다. 일주일 동안의 샌프란시스코 여행을 다녀오신 아버지는 꼭 한 달 후에 뉴헤이븐 집에서 가족 모두가 지켜보는 가운데 하늘나라로 소천하셨다. 의식을 잃고 숨이 차오르면서 천천히 줄어드는 아버지의 호흡을 지켜보면서, 우리는 찬송가를 불러 드렸다.

"아버지 죄송합니다. 제가 좀 더 잘해 드렸어야 하는데."

죄책감이 물밀듯 밀려왔다. 지금 생각하면 우리가 뉴헤이븐에 올라가 종종 찾아뵙곤 했지만, 좀 더 자주 뵈었어야 했다는 아쉬

움만 남는다. 아버지의 생애는 이렇게 끝나는 건가? 허무하기 짝이 없다는 생각을 금할 수 없었다. 한국에서 한창 잘 나가는 직장에 사표를 내던지고, 자식들 위해서 앞길이 확실치 않은 미국 이민 길을 택하셨던 아버지, 늘 재정에 쪼들리면서도 뭔가를 아들에게 해주고 싶은데 해 줄 수가 없다는 듯 미안해하셨던 아버지.

"공부하는데 필요한 거 뭐 없니? 미안하구나. 내가 넉넉지 못해서."

"괜찮아요, 학교에 있으니까 돈도 필요 없어요. 전 괜찮아요."

자신의 어려운 형편 속에서도 아들에게 열심히 잘해 보라며 늘 내 편에 서서 응원해 주셨던 아버지, 내가 학업을 중단하고 직장생활을 해서라도 부모님을 도왔어야 하지 않았을까? 부모님의 고생은 거들떠보지 않고 나 자신만의 욕심을 챙기는 데 충실했던 나였다. 내 나름 기죽지 마시라고 안심시켜 드리도록 노력했지만, 더욱 더 다정하고 도움이 되는 아들이 되어 드리지 못한 점이 죄송할 뿐이다.

한인 사회와의 만남

나는 대학병원에서는 입원환자와 내시경 시술을 주로 담당했고, 오피스에서는 외래환자들을 돌보았다. 그리고 일주일에 이틀 정도는 실험실에서 연구를 계속 진행해 갔다.

시간이 흐르면서 내가 윈스롭병원에서 근무한다는 것을 알게 된 뉴욕 주위의 여러 한인 환자분들이 나를 찾아오게 되었다. 후러싱 및 뉴욕의 여러 지역에서까지 한인 환자분들이 계속해서 진료를 받으러 왔다. 우리 한인들에게는 위장과 간질환 환자들이 많은데 비해 한국어로 의사소통이 되는 의사의 숫자는 매우 적었다.

그러는 중에 좀 더 한인커뮤니티를 위해서 일할 생각은 없냐는 등 많은 분에게서 권유도 받게 되었다. 날이 갈수록 윈스롭병원을 찾는 한인 환자들이 늘어났다. 그중 적지 않은 한인 환자들에게서 위암 질환이 발견되었고, B형 간염바이러스로 인한 간암과 심한 간경변증 등, 다양한 위장 간질환들도 발견되었다. 더 놀랍고 안타까웠던 사실은 이렇게 발견된 대부분의 질환이 초기가 아니고 한창 병이 진행된 다음이었다는 점이었다.

미국에서 뉴욕 지역만큼 의사들이 많고 병원 시설이 잘되어있는 곳도 찾아보기 힘들다. 그런데 왜 우리 한인들은 증세가 나타나고 한참 후, 병이 많이 진전된 다음에야 병원을 찾아오는 것일까?

모든 성인 질환의 특징은 초기에 증상이 쉽게 나타나지 않아 발병 시기가 불분명하고 오랫동안 진전된 다음에야 증세가 나타난다는 점이다. 그렇지만 바쁜 이민 생활에 쫓기다 보면 5~6년에 한 번조차 의사를 찾아가 간단한 신체검사를 받기가 힘든 것이 동포들의 현실이다. 심지어는 자각 증상이 있는데도 불구하고 병이 많이 진행된 후에야 병원을 찾아오는 분들을 볼 때 매우 안타까웠다.

모든 진료는 환자와 의료진과의 만남에서 비롯된다. 이러한 만남을 시작으로 원만한 의사소통을 하고 상담한 것을 토대로 환자의 문제점을 풀어나간다. 그러나 미국 한인 동포 사회는 과연 이럴까? 임상은 과학과 기술만 가지고는 할 수 없다. 최신의학 정보와 기술이 적용되기까지에는 환자의 문제점에 대한 확실한 이해가 앞서야 한다. 그러기 위해서는 언어·문화의 차이에서 오는 장벽을 넘어야 하는데, 오랫동안 미국에서 살면서 영어를 잘 구사한다고 하는 동포들에게서도 이러한 장벽은 쉽게 넘기 어렵다.

물론 한국인 의사를 찾아가야만 하는 것은 아니지만 진료는 의사소통이 원활하게 이루어져야만 가능한 일이다. 설사 중간에 통역을 둔다 하더라도, 말 자체의 소통 외에 문화나 정서가 맞지 않으니 미국인 의사를 찾아가기를 꺼리기 일쑤다. 문제는 언어나 문화뿐만이 아니다. 모든 질환에는 인종적 차이가 있는데, 그러한 차이점을 이해하고 진료에 적응해야 하는데 미국에서의 의료체계는 이러한 문화, 인종적 차이점의 문제를 아직 원활하게 해결해 주지 못하고 있다.

간단한 예로, 위암과 간염질환을 들 수 있다. 위암은 한국에서 가장 많이 발생하는 암질환중 하나이다. 그러나 미국에서의 위암 발생률은 매우 낮은 편이다. 이 때문에 미국에서는 의사들

이나 보험회사가 상대적으로 위암 관련 예방 검진은 많이 하지 않고, 또 권하지도 않는 편이다. 반면 미국 연방정부 발표 자료에 따르면 아시안들의 위암 발병률은 대단히 높고 특히 한인은 더욱 높다. 또한 미국에서 위암을 조기에 발견하는 비율은 한국에 사는 한국인들의 초기 발견율과 비교했을 때 크게 낮다. 미국의 정부나 보험회사는 미국인들에게 흔한 대장암과 폐암, 전립선암, 유방암 등의 스크리닝과 비용 면제 등 많은 혜택을 주지만 위암 스크리닝에 대해서는 소홀하고 지원 또한 없기 때문이기도 하다.

2018년도에 나와 미국의 여러 한인 의료전문가들이 의견을 모아 위암 테스크포스를 구축하게 된 동기 또한 역시 여기에 있다.

또 하나의 예로, B형간염질환을 들 수 있다. 간질환이 우리 한국인의 건강 문제에 차지하는 비중은 매우 크다. 한국인의 간경변과 간암 환자 중 약 70퍼센트가 B형간염 환자다. 즉 B형간염 바이러스는 한국인 간질환의 최대 원인이라고 할 수 있다. 그러나 이에 비해 미국 백인들의 간염바이러스 보유율은 매우 낮다. 그러다 보니 미국 연방 및 주정부에서는 B형간염 질환에 대한 인식이 낮을 수밖에 없다. 결국 미국의 한인들은 이러한 의료체계 아래 최신 의학정보와 기술이 존재하는 미국 땅에서 살면서도 불이익을 당할 수밖에 없는 것이다.

1996년 개업의로 나오다

나는 이렇듯 한인 동포들의 열악한 의료현실에 관한 고심 끝에, 뉴욕 지역에 위장내과 간내과 전문의원을 개업하기로 결심했다. 흔히 말하는 Private Practice였다. 이제까지 오랫동안 몸담았던 연구생활을 접고 앞으로는 100퍼센트 임상만을 한다고 생각하니 이제까지 연구 생활에 들어갔던 모든 노력이 아까웠다. '그래도 공부한 게 어디 갈까?' 이제까지의 연구생활 경험이 앞으로의 임상의로서의 활동에도 큰 도움이 될 것이라 믿었다.

개업의가 되어 우리 한인들이 많이 사는 후러싱 지역에 오피스를 개원했다. 그리고 연이어 맨해튼 코리아타운이 있는 32가 브로드웨이에도 오피스를 열었다. 〈현철수클리닉〉을 풀타임으로 개원한 것은 1996년 4월이다. 몇 년이 지난 후에 〈속편한 내과〉로 명칭을 바꾸었고 후러싱의 오피스를 뉴저지로 옮겼다.

대학병원과도 협력관계를 갖기 위해서 코넬대학병원을 찾았고, 몇 개월 후에 병원에서 프리빌리지를 받았다. 이와 함께 코넬대학 병원의 임상교수 직분을 받았다. 미국은 한국과 달리 일반 개업을 해도, 대학병원에 적을 두고 필요에 따라 입원환자 케어 외에도 병원을 사용할 수 있는 권한을 부여받을 수 있다. 내가 받은 임상교수의 직분에는 레지던트나 위장내과 전공의를 수련하는 책임이 주어져 있다. 한 달에 2~3일은 병원에서 펠로우들의 브리핑을 듣고 회진을 돌며 가르치는 일을 해야 했다. 펠로우들의 교육을 돕는 대신, 내 환자가 병원에 입원하게 되면 병원 스태프들이 동원되어 함께 환자들을 돌볼 수 있어 나의 프렉티스에 큰 도움이 되었다.

개업의로서 오피스에서 환자를 진료하는 것은 대학병원에서 일하는 것과는 판이하게 달랐다. 우선 오피스를 디자인하고 새로 차려야 했고, 나아가 환자의 예약, 진료 과정, 검사, 빌링 등 모든 과정을 내가 총괄해야만 했다. 다행히 아내가 오피스를 디자인하고 짓는 과정부터 시작해, 처음 몇 년간은 리셉셔니스트, 간호사 등 직원들을 채용하는 모든 일을 직접 매니지해 주었다. 나는 되도록 간호사 교육과 환자를 안전하게 잘 돌보는 데에만 치중했다. 또한 내시경검사는 주로 오피스에서 했는데, 내시경과 관련된 기구 설치 및 사용에서부터 여러 가지를 신중히 직접 돌봐야만 했다. 대학병원 안에서의 모든 엔시럴리 서비스들과

보조시스템이 그리웠다.

그러나 개업을 하는 이 모든 과정이 나에게는 여러 가지를 배울 수 있는 좋은 경험이 되었다. 개업한 후 내시경실에서 내가 마주한 환자들에 대한 나의 심정은 대학병원 안에서 여러 펠로우들, 간호사 등 여러 스태프에 둘러싸여 비교적 보호받은 분위기 속에서 일했을 때의 심정과는 달랐다. 더 책임감을 느끼지 않을 수 없었고, 솔직히 겁도 났다.

가끔 하는 말이지만, 후배 의사들에게 이런 말을 해줄 때가 있다. '개업은 한번 해볼 만한 것'이라고 말이다. 대학병원과는 달리 개인 병원오피스에서 환자를 보는 의사의 시각은 다를 수밖에 없는 상황이다. 그리고 그 다른 시각을 통해 의사는 많은 것들을 깨닫고 배워가며 성숙해진다. 동료 교수들, 여러 부서, 그리고 병원이라는 크고 단단한 보호막이 없는 상태에서 환자를 대하는 의사의 입장은 직접 체험하지 않으면 상상조차 하기 힘들기 때문이다.

아무튼 나는 개업한 지 6개월 정도가 지나자 벌써 많은 일들에 익숙해졌다. 환자가 급속도로 늘었고 이 글을 쓰고 있는 지금 이 시간에도 많은 환자분들이 끊임없이 〈속편한 내과〉를 찾아주고 있다. 참으로 감사한 일이다.

아빠, 마이노로티가 뭐야?

교육의 근본은 가정교육에서 온다. 우리 아이들이 행복한 삶을 살게 하기 위해선 행복한 가정을 보고 배우며 자라나게 해 주어야 한다. 그야말로 '사랑만한 교육이 없다'는데, 이러한 사랑을 매일 보고 느끼고 체험할 수 있는 곳이 과연 가정 만한 데가 있을까?

아빠, 마이노로티가 뭐야?

❦

1. 드디어 아빠가 되다!

아내와 나는 결혼을 하고 여기저기 옮겨 다니면서 정신없이 바쁘게 살아왔다. 결혼한 지 8년 정도 지난 후 내가 예일에서 마지막 펠로우 과정을 밟을 때의 일이다. '어, 그리고 보니 우리 아이가 있어야 되겠다. 아기를 갖자.'고 결정하고 여러 모로 노력하기 시작했다. 그러나 쉽게 이루어지지 않았다.

그러던 중 7년 후 비로소 아내에게 아기가 들어선 것이다. 우리 부부에게는 기적과 같은 일이었다. 결혼한 지 꼭 15년 만에 '슬아'가 태어난 것이다. 슬기롭고 아름답게 살라고 아내와 내가 지어준 이름이다. 영어 이름으로는 슬아와 발음이 좀 가까운 사라(Sarah)로 정했다.

'고맙다 슬아야, 나를 아빠로 만들어 주어서.'

1997년 9월 6일, 정각 낮12시에 슬아가 태어났다. 그날은 토요일이었고, 나는 뉴저지에 있는 사무실에서 일을 하고 있었다. 임신 39주째여서 오늘 내일 하고 있던 참이었다. 그 전날 금요일 저녁에는 아내가 좀 체기가 있는 듯 하다면서 배 부위에서 약간의 통증을 호소해 왔다. 다음 날 아침 일찍 아내는 의사와 약속을 잡고, 나는 뉴저지 오피스로 향했다. 오피스에 도착한 나는 내시경 검진으로 눈코 뜰 새 없이 바쁜 와중에도 '혹시 오늘 아기가 태어나려나?' 하는 설렘을 떨칠 수 없었다.

그러던 중에 오전 11시에 산부인과 의사 닥터 벌리너한테 전화가 왔다.

"Chul. She is ready! Where are you?"

속히 오라는 말이었다. 그래서 나는 물었다.

"How close?"

그랬더니 그가 하는 말이 'Anytime now' 하는 게 아닌가. 나는 리셉션에서 진료순서를 기다리는 환자분들에게 양해를 구하고 곧바로 윈스롭병원으로 달렸다. 보통 45분 정도는 걸리는데 어떻게 30분 안에 도착했는지 모른다. 아내는 가족 분만실에 벌써 들어가 있었다. 가족 분만실에는 큰 응접실도 마련되어 있어서, 가족 4~5명 정도 들어와 앉아 있을 수 있는 넓은 방이었다. 수속을 마치고 방에 들어온 지 채 1시간도 되지 않은 상태였다. 이제 본격적인 분만과정으로 들어가려는 찰나였다. 아내에게 '괜찮아. 잘 될 거야.' 안심을 시켰지만 나는 불안감을 떨칠 수 없었다. 11시 40분부터 활발한 진통이 지속되면서 본격적으로 힘을 주기 시작한 지 20분만에 슬아가 태어났다.

다행히 아내는 통증 주사 한 방도 맞지 않고, 비교적 순조롭게 슬아를 출산하였다. 남들은 진통제, 촉진제 등을 맞고도, 한참 고생하는 경우가 많다는데, 또 제왕절개 등을 운운하는데, 아내는 정말 별 탈 없이 자연분만, 그것도 불과 30분 안에 슬아를 순산했다. 새까만 머리털이 보이기 시작한 슬아의 출산을 닥터 벌리너와 함께 손을 합해서 받았다.

슬아의 피부에 내 손이 닿는 순간, 온몸에 전율이 왔다. 믿어지지 않았다. 눈이 부신 듯 반 감은 상태로 '응아' 하는 슬아의 울음소리는 아내와 나에게 슬아의 태어남과 동시에 우리 모두의 또 다른 세상의 시작을 의미하는 순간이었다. 탯줄을 자르고 자세히 슬아의 얼굴과 몸을 살폈다. 그렇게 예쁠 수가 없었다. 나

현철수_ 홉킨스로 문득 찾아오신 아버지

는 아내와 슬아를 껴안고 "잘했어. 수고했어. 하나님 감사합니다."를 연발했다.

비로소 아내는 엄마, 나는 아빠가 되었다. 아버지가 돌아가시고 난 후 2년 정도 된 시기였다. 아버지가 슬아를 보셨으면 얼마나 좋아하셨을까? 딸이 귀한 우리 집안에서 슬아가 귀엽다고 어쩔 줄 몰라 하시는 모습이 상상이 간다.

2. 집 짓는 아내

뉴저지 오피스가 바빠지다 보니, 롱아일랜드 집에서 출퇴근하는 일이 쉽지 않았다. 그래서 오피스 한 곳이라도 가까운 곳으로 이사해야겠다는 생각을 하게 되었다. 결국 뉴저지 오피스에서 20분 드라이브 거리 떨어진 뉴욕의 펠리세이즈라는 동네에서 마땅한 집을 찾았다.

낡은 집이었는데 이를 허물고 새로 집을 짓자고 결정을 내렸다. 아내는 본격적으로 집 설계에 들어갔고, 건축에 필요한 모든 플랜을 세우기 시작했다. 그로부터 꼭 2년 후 집이 다 완성되어 새 집으로 이사를 했다. 2001년 8월의 일이다. 새로 이사한 지역은 조지 워싱턴(GW) 다리에서 북쪽으로 파크웨이를 타고 오면서 처음으로 허드슨 강가에 위치한 동네다. 도시를 벗어나자마자 불과 11마일 정도 떨어져 있는 타운인데도 불구하고, 숲과 자연에 뒤덮인 아름다운 옛날 동네다. 펠리세이즈로 이사 오기

현철수_ 홉킨스로 문득 찾아오신 아버지

전에 살았던 롱 아일랜드 로슬린의 집도 아내가 설계해서 지은 집이었다. 그리고 그 전에 코네티컷 햄든의 집도 반 이상은 지은 집이나 다름없었다. 뉴헤이븐에서부터 시작해서 로슬린, 그리고 펠리세이즈까지 벌써 세 번 우리 집을 지은 셈이다. 우리가 사는 공간을 디자인한다는 것은 커다란 기쁨이고 보람이 아닐 수 없었다.

집을 설계하기 위해 필요한 과정은 많았다. 주어진 지형적 조건에, 바라는 형식의 건물을 어떠한 위치에 놓는 과정에서부터 시작이다. 또한 이웃집들의 스타일과, 그 지역이 풍기는 이미지 등을 고려해야만 했다. 우리가 2001년 이사한 펠리세이즈의 스니든스 랜딩 지역은 1700년대에 생긴 동네로 현재는 70여 가구가 모여 살고 있다. 1700년도 말에는 조지 워싱턴이 장군으로 있을 때, 이곳 허드슨 강 위쪽에 잠복해 있다가 강을 지나는 영국군을 포격했던 요지여서 유서 깊은 지역으로도 유명하다.

이 지역은 설계의 모든 과정이 타운 홀에서 열리는 Historic Board 외에도 여러 심사과정을 거쳐야 했다. 아내는 이 타운의 역사와 현존하는 건물들을 고려해서 약간 옛날식의 콜로니얼 그리고 반 팜하우스 식이 2층 건물을 디자인했다. 처음 있었던 Historic Board 심사에서는 집의 사이즈가 크고 너무 현대식이라는 이유로 통과되지 않았다. 그래서 내부의 평수를 약간 줄이고, 지붕의 한 부위를 좀 더 팜하우스 형식으로 바꾸어 한 달 후에 곧 승인이 떨어졌다.

이웃 주민 중에는 아내가 디자인한 집을 환영하는 사람들도 있었지만, 적지 않은 사람들이 경계의 눈빛을 보였다. 아무튼 첫 심사를 마치고 건축 보드의 심사과정도 무난히 패스한 후 본격적인 공사가 시작되었다.

건축에 대해 아무것도 몰랐던 나 자신도 집을 지을 때 필요한 과정이 무엇인지 하나 하나씩 알아가게 되었다. 건축의 안전 요소와 외형적인 모양 못지않게 중요한 것은 공간 배치와 디자인이 얼마나 실용적인지를 고려해야 한다는 점이다. 또한 집을 짓는 일은 단순히 재정적인 뒷받침만으로 되는 일은 아니지만 그래도 경제적인 면을 감안하지 않을 수 없다. 건축사는 이 모든 요소를 고려해야만 한다. 그러려면, 각자의 라이프스타일을 감안하여야 하고, 빌딩의 구조, 자재에까지 일일이 신경을 쓰지 않으면 안 된다.

지면으로 설계가 되었다고 집이 그대로 건축되는 것은 아니다. 대부분 건축사가 디자인을 하면, 빌딩 회사에 의뢰되고, 제너럴 컨트랙터(GC)에게 맡겨지어 진행되는 것이 순서이지만, 우리의 경우는 좀 달랐다. 설계 후에도, 아내는 GC의 책임을 갖고 각기 필요한 섭 컨트랙터들을 고용해 가면서 일을 시켰다. 파트별로 필요한 물품이나 자재들을 직접 딜러와 상담하여 골랐다. 자신이 설계한 대로 좋은 자재로 직접 건축되어 나가는 과정을 모두 아내가 손수 지휘했다. 목수, 전기공, 플러머, HVAC(공기조화 시스템), 타일 전문가 등 스무 개가 넘는 업종의 전문가들과 일일이 의논해 가며 모든 걸 총괄했다. 집을 지어 본 사람들은 다 알겠지만, 이 모든 과정이 다 순조롭지만은 않다. 중간에 사고가 생길 수도 있고, 제시간에 맞추어 각자 맡은 일들을 못 끝내는 경우는 허다하다.

집 내부를 디자인하면서 아내와 나는 여러 가지를 고려했다. 우선 마스터 베드룸, 슬아방, 게스트룸, 부모님들이 방문할 때 머무실 방, 체육실에서 시작해서, 부엌, 패밀리룸, 리빙룸 등을 디자인했다. 우리는 거실, 다이닝룸, 그리고 패밀리룸 사이에 문을 달지 않았다. 룸들 사이의 공간이 서로 통하는 것을 원했고 그게 우리에게는 실용적으로 와 닿았기 때문이다.

특별히 거실과 부엌을 좀 더 크고 실용적으로 디자인해서 여러 공공적 활동도 겸할 수 있도록 설계했다. 여러 가족이 모일 때는 물론 교회 모임과 캠페인, 펀드레이즈, 음악회 등을 할 수 있는 공간으로 디자인했다. 우리 셋만의 집이 아니고 더러는 이웃들과 함께 나누며 즐길 수 있는 퍼블릭한 역할을 감당할 수 있는 공간이어야 한다는 점을 고려했다. 그래서 리빙룸에는 높은 실링, 그랜드피아노 그리고 50여 명 이상이 편하게 앉을 수 있는 공간을 만들면서도 불필요하게 큰 운동장 같은 분위기를 안 주려고 노력했다.

집 실내 디자인의 특징은 심플하면서도 외부의 자연과 어울리는 공간을 만드는 데 있었다. 한 예로, 우리 집에는 큰 윈도우들이 많지만 별로 치장되어 있지 않다. 아내는 간단한 디자인의 몰딩과 블라인드 외엔 아무것도 사용하지 않았다. 어떻게 보면 너무 꾸밈이 없어 밋밋한 느낌마저 나지만, 아름다운 외부의 자연과 통하는 맛은 있다. 다양한 색상과 원단의 커튼들로 심지어는 요란하게까지 치장하는 집들과는 너무 대조적이다. 외부의 자연을 한 폭의 그림이라고 생각하면 윈도우는 간단한 프레임의 역할만 하면 된다는 생각이다. 그래야 우리가 집 안에서 내다보게 되는 정원이나 꽃 그리고 멀리 보이는 나무들까지 더욱 실감 나게 감상할 수 있다는 말이다.

아무튼 실내공간을 디자인하면서 우리는 우리가 이제까지 해온 일들, 그리고 앞으로 우리가 어떻게 살 것인가에 대해 생각하

현철수_ 홉킨스로 문득 찾아오신 아버지

고 꿈꾸면서 바꾸고 또 바꾸었다. 이 모든 설계 과정이 앞을 바라보고 계획할 수 있는 희망과 비전을 가져다 줄 수 있었기에 너무 좋았고 감사했다.

모든 공사가 끝나서 펠리세이즈로 이사한 것이 2001년 8월이다. 슬아가 만 4살 되기 1달 전이었다. 아내가 디자인하고 고안한 대로 세워진 새 집으로 이사하는 것은 물론, 새 집을 짓기 위해 들어간 우리들의 디자인에 대한 생각과 과정들 그 자체가 정말 감사하고 값진 경험이었다.

디자인 과정에서 아내와 나는 주위의 많은 이웃들을 만나게 되었고 그 중 더러는 가까이 지내는 좋은 친구들이 되었다.

3. 행복의 거울

아내와 나는 대학 캠퍼스에서 만나 데이트하면서 친구같이 지내오다가 발전하여 자연스럽게 결혼하게 되었다. 그때나 별 다름없이, 지금도 우리는 서로를 부를 때 '철', '미경아'라고 부른다. 이제까지 아내는 나를 '여보'라고 부른 적이 몇 번 있지만, 나는 이상하게 나이가 60이 넘어도 아내를 '여보'라고 부르는 게 좀 징그럽고 어색하게 느껴진다.

우리는 결혼하고 여러 도시를 누비다시피 옮겨 다니면서 학교와 직장생활로 바빴다. 어려운 시기도 여러 번 있었지만, 서로를 껴안고 행복했던 순간들에 비할 바가 못 된다. 내가 의사가 된 것도, 아내가 건축사가 된 것도 다 결혼 후의 일이다. 우리가 가졌던 꿈과 커리어를 서로 뒷받침해 주면서 살아온 셈이다. 결혼 전에 아내는 내가 의사에 대한 꿈을 갖고 있는 걸 어느 정도는 알았지만, 나는 아내가 건축사가 되리라는 것은 전혀 예상하지 못했다.

나 역시 결혼 전까지는 건축에 대해서는 아무것도 몰랐지만,

현철수_ 홉킨스로 문득 찾아오신 아버지

지금은 서당개 3년이면 풍월을 읊는다고 이제는 건축 도면을 보면, 어느 정도 느낌이 올 정도다. 옆에서 아내가 엔지니어, 목수 등과 회의를 하는 것을 수없이 지켜보았으니 말이다. 뉴헤이븐에서부터 롱아일랜드, 그리고 펠리세이즈에 이르기까지 우리가 살 집을 직접 디자인할 때, 나도 반건축사의 자격으로 참여한 셈이다. 솔직히 디자인에 참여한다는 것보다는, 아내가 만든 설계도면을 보고 '이 방은 왜 이렇게 작아, 그리고 여기 도서실에는 좀 더 큰 윈도우를 달아야지.' 등 잔소리와 은근히 요구사항을 늘어놓는 게 고작이었지만 말이다.

아무튼, 그러는 동안 집에 대한 애착은 더 커질 수밖에 없었다. 우리가 사는 집이야말로 단순한 건축물로서만이 아닌, 우리 가정의 한 부분과 다름 없다는 생각을 해 본다. 즐거울 때나 슬플 때나 우리의 인생에 일어나는 모든 일에 동참하고 함께 나누는 우리 가정의 중요한 일부인 것이다. 우리 셋뿐만 아니라, 집에 방문하는 모든 분에게까지 값진 추억을 남겨줄 수 있는 공간이기도 한 셈이다.

지난 20여 년간 집에서는 사적인 모임 외에 수많은 퍼블릭 이벤트를 가졌다. 교회 성가대의 발표 모임을 비롯해, 개인 콘서트, 강연, 펀드레이즈, 캠페인 등 여러 종류의 행사를 진행했다. 한 달에 두 번 이상 행사를 치렀던 적도 여러 번 있었다. 그러다 보니, 우리 집은 많은 분들과의 귀한 만남의 장소가 되었다. 이렇게 맺어진 새로운 인연은 또 새로운 만남을 불러오게 되었다. 이러한 만남의 연속은 우리가 더불어 살면서 힘을 합하며 더 생산적이고 아름다운 삶을 살 수 있다는 진실을 가르쳐 주었다.

하루 일과가 끝나고 집에서 저녁 식사를 할 때면 아내와 나는 그날 있었던 일에 관해 이야기를 나눌 때가 많다. 나는 병원에서 일어난 일 중 특별히 하고 싶은 말을 한두 건 골라서 말하는 편이지만, 아내는 아침 7시부터 일어났던 일들에 대해 비교적 소상히 이야기해 줄 때가 많다.

어떨 때는 아내의 이야기가 너무 길어져서 좀 피곤할 때도 있다. 아내에게, "아이, 입도 안 아프니? 간단하게 요점만 추려서 말해 주면 좋겠는데…."라고 사정할 때가 있다. 이렇듯 아내가 자신이 만나는 모든 사람과 그날 있었던 모든 일에 관해 이야기해 준다는 건 그만큼, 자신이 만나는 사람들과 자신이 하는 모든 일에 관심과 애정이 있어서라고 생각한다.

"오늘은 플러머가 왔었는데, 너무 좋은 사람이더라구. 엘살바도르 사람인데, 아이가 셋이래."로 시작해서, 아내가 하는 말은 불평스러운 말들이 거의 없다. '이래서 좋았구, 저래서 좋았다' 모두 이런 식이다. 나는 병원에서 있었던 짜증스러운 일에 관해 이야기하려다가도 아내의 밝고 환한 이야기들을 듣는 순간 나의 부정적인 생각들이 꼬리를 감추게 되는 것을 느낀다.

'허 참, 뭐가 다 그렇게 좋을 수가 있는 거야?'

지난 3년간 우리는 집에서 닭을 25마리 정도 키우고 있다. 그래서 하루에도 달걀이 12개 이상 나올 때가 많지만, 집에 달걀이 남아 있은 적이 별로 없다. 아내가 찾아오는 친구와 이웃들에게 다 나눠 주곤 해서 아침에 계란후라이를 하려고 보면 겨우 한두 개 눈에 띈다. 집에 일하러 오는 인부들에게 대접하는 커피나 점심부터, 이웃들에게 언제나 후하게 베풀고 있는 것을 볼 때마다 내 마음도 흐뭇하다.

처음 알고 지냈을 때 아내에게 '천사표'라고 별명을 지워준 적이 있다. 아내는 맑고 아름다운 마음씨를 가졌다. 사람들을 대할 때에 언제나 밝게 웃으면서 다가간다. 그렇게 진정 어린 얼굴을 대할 때 누구도 화를 낼 수가 없을 것이다. 나는 원래 좀 무뚝뚝하고 그리 밝은 성격이 아니었는데, 아내를 만나고서, 그리고 슬아가 태어난 후로 줄곧 나에게 큰 변화가 온 셈이다. 더욱 더 부드러워졌다고 할까? 분명히 더 명랑해지고 환해진 것 같다. 아무튼 아내와 슬아는 나의 행복의 거울이다.

4. 속편한 내과

2007년에는 뉴저지 잉글우드에 위치한 조그마한 빌딩을 구입했다. 아내와 나는 새로운 개인병원 오피스로 개조하자고 계획을 세웠다. 원래 자동차 딜러가 있었던 자리였는데, 빌딩 바로 앞에 20대 정도의 차를 파킹할 수 있는 공간도 있어 몸이 불편한 환자가 오기에 매우 편리했다. 그러나 워낙 낡은 빌딩이어서 지붕과 벽 등 인테리어를 다 걷어내고 새로 빌드하지 않으면 안 되는 건물이었다.

1층에는 리셉션, 웨이팅룸, 간호사 워크스테이션, 환자 상담실, 진료실, 그리고 조금 떨어진 곳에 내시경실, 회복실, 내시경 소독실 등을 넣었고, 2층에는 직원 탈의실, 런치룸, 그리고 사무실 2개를 배치했다. 핸디캡을 수용할 수 있는 큰 화장실 외에 일반 화장실 둘 그리고 스토리지룸과 컴퓨터 방을 따로 디자인해 넣었다.

병원은 환자를 진료하는 곳이다. 그러기 위해서는 정확하고 안전한 의술은 물론 우선 환자가 편안한 마음으로 병원문을 들어설 수 있는 환경이 구축되어야 한다. 병원을 찾는 일은 심적으로 부담스러운 일일 수 있다. 병원문을 들어서는 사람들의 표정은 다양하다. 평온한 듯 웃으면서 들어서는 사람이 있는가 하면, 왠지 쑥스러운 표정, 오지 않을 수 없는 사정으로 왔다는 표정을 짓는 사람도 있다. 오기 싫은데 그야말로 가정의 평화를 위해 누구의 등쌀에 떠밀려 억지로 끌려온 사람들도 있고, 노심초사하며 걱정스러운 눈빛으로 고개를 떨어뜨리고 들어오는 사람 등 천태만상이다.

의료진으로서 환자들의 이러한 표정 읽기는 구체적인 진료에 앞서 매우 중요하다. 나는 우리 스태프에게 늘 말해왔다. 리셉션 룸으로 환자가 문을 열고 들어올 때, '그 환자의 눈을 잡아야 한다'고. 사무적이고 기계적인 인사가 아니라, 환자의 눈에 자신의 눈을 맞추고 그 눈을 끌어안아 주어야 한다는 말이다. 환자와의 '만남'의 분위기를 조성해 주는 곳이 바로 리셉션이다. 아내는 이런 컨셉을 강조하기 위해, 병원 문을 열고 들어오는 가까운 곳에 리셉션을 배치시켰다. 리셉션과 바로 이어지는 웨이딩룸은 천장을 높여서 마치 큰 홀에 들어와 있는 분위기를 만들어냈고,

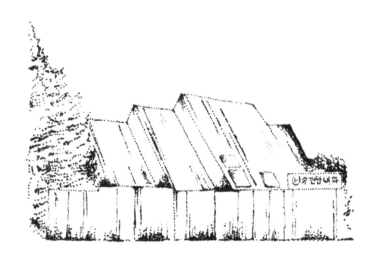

한쪽의 벽은 투명한 유리로 밖을 내다볼 수 있도록 디자인했다. 창가에는 자그마한 데스크와 의자들을 배치해서 카페 분위기가 나도록 했다. 또한 한쪽 벽에는 벽난로를 설치해 늦가을부터 봄까지는 온기를 느낄 수 있게 하였다. 또한 불꽃의 끊임없는 움직임으로 혹시 착잡한 심정으로 앉아 기다릴 수도 있는 환자나 가족들에게 삶의 열정과 생동감마저 선사할 수 있도록 했다.

또 병원에는 의사 간호사, 리셉션니스트 등 모든 스태프가 편하게 일할 수 있는 공간이 갖추어져야 한다. 아내와 나는 간호사들이 일하는 공간을 좀 크게 디자인하여 세 파트로 나누었다. 우선 혈액 채취를 할 수 있는 반만 막은 공간, 환자 가족이 있는 경우를 대비해 오픈된 콘퍼런스룸, 그리고 마지막으로 컴퓨터와 사무를 볼 수 있는 워크스테이션으로 꾸몄다.

진료실은 진료실 대로 환자가 들어와 어디서 앉고 상담을 할지, 컴퓨터를 어느 방향으로 배치해 환자를 상담하는 데 지장이 없는지 등을 염두에 두면서 세심하게 디자인했다.

각방의 기능을 최대화시키는 것도 중요하지만, 방에서 방으로, 즉 진료실에서 내시경실로, 내시경실에서 회복실로, 회복실에서 리셉션으로, 리셉션에서 간호사 스테이션으로 등, 어떻게 통하고 편리하면서도 효율적으로 이어질 수 있는지, 또 이러한 가운데 환자들이 편안하게 진료 받을 수 있는 공간 배치도 배려했다.

드디어 〈속편한내과〉 병원이 2007년 7월에 완공되어 이전할 수 있었다. 환자분들이 들어와 편안하게 앉아 있는 모습을 보면 내 마음도 편안하다.

아무리 생각해도 나는 행운아다. 이 세상에서 아내가 지어준 병원에서 일하는 의사가 얼마나 될까?

현대 임상은 기술 중심의 의료에서 휴머니즘이 넘치는 의료로 전환되어야 한다. 즉 아무리 좋은 기술이라도 뜻과 마음이 없는 의료진과 병원의 환경은 제구실을 다 할 수가 없다. 환자를 배려하는 의료진의 마음은 환자로 하여금 느껴져야 한다. 병원은 환자들에게 안정감 있고 편안한 분위기를 조성해 주어야 한다. 이러한 환경이야말로 진료를 돕는 매우 중요한 요소이다.

병원의 대기실에 앉아 있을 때 들려오는 기분 좋은 음악, 눈앞에 놓인 아름다운 꽃들은 아픈 사람들에게 커다란 생명력과 희망이라는 감정을 불러일으킬 수도 있겠다. 환자를 이렇듯 '속 편하게' 앉아 기다리게 할 수 있다면, 그 병원은 이미 그 환자를 진료할 수 있는 자세가 갖추어져 있다고 할 것이다.

5. '아빠, 마이노로티가 뭐야?'

슬아는 건강하게 잘 자랐다. 성격이 온순해서인지 집에서나 바깥에서나 크게 짜증이나 소리 내며 우는 것을 본 적이 없다.

주위에 못 보던 사람들이 있으면 수줍어하며 조심스러워했다. 슬아가 채 두 살이 못 되었을 때 발레를 시작했다. 하루는 학교 강당에서 공연하는데 빨간 예쁜 옷을 입고 만반의 준비를 하고 대중 앞에 섰다가, 자신의 눈앞에 앉아있는 수백 명의 관중을 보고 기겁을 한 나머지 무대 뒤로 줄행랑을 치던 모습이 아직 생생하다. 덕분에 관중 모두를 즐겁게 해 주었지만 말이다. 그렇듯 수줍기만 하던 슬아가 3살이 되니, 못 부르는 노래가 없을 정도로 각종 노래를 가르치는 대로 다 외워 불렀다. 가라오케를 틀어 놓고 나와 함께 해바라기의 〈사랑으로〉를 자주 부르곤 했다.

슬아는 친할머니, 외할머니 그리고 외할아비지 등 모두의 사랑을 흠뻑 받으며 자라났다. 친할아버지는 본 적이 없지만, 기특

할 정도로 친할아버지의 생신 날도 기억하며 챙겼다.

슬아가 4살이 되면서 집 근처에 있는 컬럼비아대학교에서 운영하는 라몬트 학교에서 PK(유치원 전의 프리스쿨)에 다니기 시작했다. 이어서 컨거스에 있는 Rockland Day School에서 유치원을 다녔다.

슬아가 7살 되었을 때인 것 같다. 어느 날 나에게 물었다. "Daddy, what is minority?" 슬아에게서 나올 질문이라고는 예상치 않았기에, 나 자신도 잠시 멈칫거렸다. 텔레비전 뉴스에서 소수민족 마이노러티들이 받는 사회적 불균형에 대한 뉴스를 듣다가 그런 질문을 한 것 같았다.

"그래, 슬아야, 마이너리티라는 건 말이야." 하면서 간략한 설명을 해 주었지만, 어쩐지 슬아가 확실히 이해했을 것 같지 않아 마음이 석연치 않았다. 그 일이 있고 6개월 정도 후에 우리 가족은 처음으로 한국을 방문하게 되었다. 아내와 나에게는 거의 20여 년 만의 모국방문이지만, 슬아에게는 태어난 후 처음으로 할머니와 할아버지의 나라를 방문하게 된 것이다.

우리는 서울에 도착한 후 친지들에게 융숭한 대접을 받으며 약 1주일간 재미있게 지냈다. 하루는 슬아를 데리고 강남 거리를 걷고 있었는데, 갑자기 슬아가 손으로 앞을 향해 가리키면서 "There is an American!" 하는 게 아닌가? 앞을 보니 키가 훤칠한 백인 남자가 걸어가고 있는 것이 보였다. 자기 깐에는 미국에는 흔하게 보이는 백인들이 서울에 온 후로는 별로 눈에 띄지 않았었는데, 갑자기 눈앞에 나타나니 반가웠던 모양이었다. 그 순간에 나는 6개월 전에 슬아가 물어 온 마이너리티에 대한 질

마이노로티

문이 생각났다. '옳거니 그때 제대로 설명해 주지 못한 걸 지금 말해 주면 되겠구나.' 하면서 나는 슬아에게 설명을 해 주었다. "슬아야, 미국에서는 코리언이 숫자가 상대적으로 적으니까 마이너리티고, 여기서는 백인의 숫자가 적으니, 저들이 마이너리티야. 마이너리티는 상대적인 숫자의 상태를 말해 주는 것뿐이란다." 인제 조금은 이해가 간다는 슬아의 표정을 보았을 때, 나 자신도 흡족했다. 아내에게 말했다. "이것만 가지고도 우린 한국에 방문 온 보람이 있네."

슬아는 뉴욕 펠리세이즈 지역에 있는 공립초등학교를 4학년 까지 다니다가 뉴저지 잉글우드에 있는 Dwight Englewood 학교로 전학했다. 펠리세이즈 지역 학교의 교육프로그램은 좋았지만, 동양인 학생들은 보기 드물었고, 거의 다 백인들로 치중된 학교였다. 반면, 사립인 드와이트 학교에는 한국, 일본, 중국, 인도 등 동양계 학생들이 꽤 있어 내가 옛날에 오키나와, 대만에서 다녔던 외국인학교 같은 기분이 들었다. 거의 100프로 이상의 백인 위주의 학교와는 달리 인종적 다양성이 있어 슬아의 교육에 더 이로울 것 같아 전학시킨 것이었다. 결국 슬아는 드와이트에서 계속 학교를 다녔고, 2015년에 고등학교를 졸업했다.

6. 미국 선생에게 한국의 문화를

미국의 우리 자녀들은 대부분 미국에서 태어나 교육받는다. 그런데 한국의 언어는 물론 문화와 정서를 이해하지 못하는 미국 선생이 우리 한국 아이들을 제대로 가르칠 수 있느냐는 질문을 해볼 수 있다. 다시 말해, 학생의 문화적 배경을 모르면서 자신이 익숙한 백인 위주의 문화 컨텍스트 안에서 학생을 교육한다면 이는 문화적 코드가 다른 우리 아이들에게는 불이익을 가져다 줄 수도 있다는 생각을 하게 된다. 누구 말대로 영어를 잘하고 좋은 직장을 찾기 위한 수단의 교육만이 참교육이 아니기 때문이다.

우리 아이들은 미국에서 태어났지만, 미국의 아이들과는 다를 수밖에 없다. 인종적으로도, 피부의 색깔이 달라서이기도 하지만 그들이 가지고 태어난 민족적 그리고 문화적 배경도 다르다. 그러다 보니 자신의 정체성에 대한 혼란을 가끔 겪을 수 있다. 미국에서 태어나 최고의 교육을 받고 설상 영어를 본토인처럼 할 수 있다고 한국인이 아니고 미국인이 될 수 있는 것은 아니기 때문이다. 반드시 그리 되고 싶지도 않겠지만 말이다. 이건 필시 한국인 부모를 통해 한국인의 유전자를 물려받았다고 해서만은 아닐 것이다.

슬아의 교육과정을 살펴보면서 이런저런 생각 끝에 아내와 나는 학교 PTA(학부모 교사 연합회), 이사회 등에 참여하면서 어떻게 하면 우리 아이들에게 도움이 될 수 있는지에 대해 고민하게 되었다. 그러다가 아내가 한국의 언어와 문화를 가르치는 세종문화교육원을 돕게 되었고, 나중에는 세종문화교육원과의 협력 아래 슬아가 다니던 드와이트 학교 교사들을 매년 2–3명씩 뽑아 우리 아이들과 함께 한국을 방문하게 했다.

펀드레이즈로 자금을 모아 선생님들의 여행을 직접 돕는 일이었다. 학생들과 함께 한국을 방문하고 한국의 교육시스템, 그리고 문화와 역사를 직접 체험할 수 있는 프로그램을 매년 만들어 추진했다. 즉 한국 학생이 많이 다니는 학교의 교사들에게 짧은 시간이나마 한국과 아시아에 대해 공부할 수 있는 기회를 주어, 그들이 우리 아이들을 대하고 가르칠 때, 아이들의 문화적 배경을 참작할 수 있도록 돕는 프로그램이다.

10여 년에 걸쳐 여섯 학교의 미국인 교사 100명 이상을 스폰서 했다. 긴 시간의 문화 체험은 아니었지만, 이로 인해 교사들이 갖고 있는 한국과 한국인에 대한 생각과 태도에 큰 변화가 생긴 것을 쉽게 목격할 수 있었다.

7. 시작보다 끝이 더 중요하다

우리 한국인들의 자녀교육에 대한 열성은 실로 대단하다. 자녀의 교육이라면 물불을 가리지 않는다. 내가 공부한 것이 과연 나만의 공부였을까? 나의 부모님이 내가 공부할 수 있는 환경을 마련해 주지 않았다면 과연 내가 제대로 학업에 열중할 수 있었을까?

그렇다면 자녀의 교육을 위해 어떠한 일들을 할 수 있을까? 물론 동서양을 막론하고 부모에 따라 가지각색이다. 미국에서는 타이거 맘 혹은 헬리콥터 맘이란 말이 있고, 한국에서는 〈강남엄마 따라잡기〉나 〈스카이 캐슬〉 같은 드라마를 통해서도 알듯이 교육에 대한 부모의 극성에 대해 어느 정도는 엿볼 수 있다.

그런데 통제당하면서 교육받는 아이들이 과연 프리 마인드를 가지고 배울 수 있을까? 지금은 대학입시만 있지만, 내가 어렸을 때는 중학교 입시와 고등학교 입시도 있었다. 하기야 어려서

현철수_ 홉킨스로 문득 찾아오신 아버지

부터 치열한 경쟁을 가르쳐 주는 데는 입시 만한 것도 없을 것이다. 일류 중학교를 들어가야 일류 고등학교를 들어갈 수 있고, 또 그래야 일류대학을 들어갈 수 있었다.

지금도 크게 달라진 것은 없는 것 같다. 10살도 채 안 된 어린 이들이 벌써 '일류 들어가기' 타령이다. '기반 없는 코리안 아메리칸 이민자의 입장에서는 목숨 걸고라도 명문대학을 가야 한다'는 말을 주위에서 들은 적이 여러 번 있다. 이런 맹목적인 부모의 태도가 아이들의 교육에 미치는 영향은 반드시 이롭지만은 않을 것이다. 아무튼 많은 부모는 자녀가 일류대학을 들어가면 '다 되었다'고 여긴다. 그러나 잘 들어가면 과연 잘 나올까? 다시 말해 '잘 끝내야 한다'는 인식보다 '시작하면 다 된다'는 마인드 세트가 문제다.

여기서 내가 품게 되었던 질문은 '왜? 우리 한국 사람들은 들어가는 데에 집중하고, 들어가면 잘 나올 것이라고 쉽게 가정하는가?'

반드시 그렇지만도 않은 정도가 아니라 일류대학에 입학한 후 여러 가지의 이유로 학업을 중단하는 경우를 많이 보았기 때문이다. 시작보다 끝이 중요하다는 것을 보여주면 더 좋을 것 같다. 내가 대학원을 다닐 때 한국에서 온 유학생들과 접하면서 처음 알았지만, 대학의 학번을 이야기할 때 한국과 미국은 다르다는 것을 알게 되었다. 예를 들어 한국에서는 대학에 입학한 해를 따라 학번으로 부른다. 허나 미국의 경우에는 졸업한 해를 따라 학번을 부르게 되어있다. 예를 들어 나는 1973년에 입학해서 1977년에 대학을 졸업했다. 한국에서는 73학번이라 말하겠으나, 미국에서는 졸업한 년도인 1977년을 기준으로 'Class of 1977'으로 말한다. 나의 과잉반응일는지는 모르겠으나, 우리 아이들에게는 시작보다 끝을 더 중요시하는 문화가 절실하다는 생각을 하게 되었다. 대학입학이 최종목표가 아니고 졸업이 더 중요하다는 것을 알게 해주어야 한다. 또 그렇게 우리가 모범이 되어 주어야 한다. 그리고 일류대학에 못 들어간다고 끝은 아니다. 어느 대학을 다니든 교육에 대한 올바른 자세가 일류를 판가름한다는 사실을 깨달았으면 좋겠다.

기억하자. 입학은 시작일 뿐이다. 그리고 레이스는 끝을 보기 전까지는 판정할 수 없다.

옛날 서울 YMCA에서 유도를 가르쳤던 사범 한 분한테 들은 이야기다. 그 당시 한국과 일본의 유도를 비교한 이야기다. 1980년도까지 한국의 유도는 소년부, 중, 고등부까지는 일본을 쉽게 이겼는데, 대학부 그리고 일반부에 와서는 지는 경우가 많다고 했다. 어려서는 이겼는데, 왜 성인이 되어서는 지는 것일까? 한국 유도계에게는 큰 고심거리가 아닐 수 없었다. 그러다가 그 이유를 발견하였다. 지금은 어떨는지 모르지만 과거 우리나라에서는 유도를 가르칠 때 낙법에서부터 업어치기, 후려치기 등 여러 테크닉을 불과 몇 달 안에 속성으로 가르쳤다고 한다. 나도 초등학교 3학년 때에 유도를 처음 배웠는데, 낙법을 한두 달 안에 끝내고 석 달쯤 되어서부터는 업어치기를 배웠던 것으로 기억난다. 그런데 일본은 낙법을 오랜 기간에 걸쳐 터득하게 했고, 기술도 하나씩 가르쳐서 제대로 터득할 때까지는 다음 기술은 안 가르쳤다고 했다.

지금 한국의 유도가 일본을 얼마나 앞섰는지는 모르겠으나, 이 사례의 포인트는 기초의 중요성을 다시 한번 각인시켜 준다. 집을 짓는데 좋은 재료를 사용하더라도 충분히 시간을 두고 기초를 튼튼히 세우지 않으면 그 집은 날림이 되고 오래 갈 수 없는 이치와 별반 다를 게 없다. 한국인의 '빨리빨리' 문화는 자칫 기본과 원칙을 무시하는 대충 대충이 될 수 있다는 점을 우리는 깊이 명심해야 한다.

8. 슬아가 대학에 가다

슬아는 2015년에 드와이트고등학교를 졸업하고 펜실베이니아의 Lehigh대학교에 입학했다. 펜실베이니아주 동부에 위치한 리하이는 모라바 출신 이민자들이 종교의 자유를 위해 이주해 온 '베들레헴'에 위치하고 있다. 또 이 지역에는 1742년에 설립된 유서 깊은 모라비안대학교도 있다.

리하이대학교는 원래 공과대학으로 유명하여 특히 우리 한국인들에게 오래전부터 잘 알려진 대학이다. 미국 자동차 산업을 일으킨 크라이슬러 회장, 리아이아코카(Lee Iacocca)가 리하이대학교 출신이며 그 외에도 다수의 훌륭한 인재를 배출시켰다. 베들레헴은 19세기 미국 철도 산업이 한창 발전되면서, 미국의 가장 큰 제철도시로 발전했으나, 20세기에 접어들어서 철강산업이 쇠퇴함에 따라 지금은 옆에 있는 알렌타운과 함께 경제, 교육 문화의 중심지로 자리 잡게 되었다.

현철수_ 홉킨스로 문득 찾아오신 아버지

슬아는 장래 의사가 되겠다고 자신의 꿈을 나에게 이야기 한 적이 여러 번 있었다. 자라나면서, 내가 의사로 활동하는 것을 늘 보아왔기 때문에, 의사의 생활이 좋게 보였던 것일까? 의사들의 자제들은 대개 다 의사가 된다고 하는데 이게 바로 그런 걸까?

지난 10여 년간에 걸친 나의 미국과 세계 속의 의사들 간의 빈번한 네트워킹을 통해서 슬아는 수많은 의사들과 직간접적으로 알게 되었다. 미국은 물론, 한국과 세계 각지에 흩어져 활약하고 있는 한국인 2세 의사들과의 만남을 통해서 슬아는 나름 자신의 '의사되기'로 결심을 더욱 견고하게 다진 것 같았다.

하루는 내가 슬아에게 물었다. "그럼, 어떤 전문의사가 되고 싶니?"했더니, '산부인과 의사가 되고 싶다'고 했다. 새 생명이 태어나는 그 어마어마한 사건에 참여한다는 것은 정말로 엄청나고 뜻깊다는 말을 나에게 하기도 했다. 슬아가 대학 전공을 정하는 데 있어, 나는 이런 말을 해준 적이 있다.

"슬아야, 의학과 의료는 같지 않다. 아빠는 의료를 기초의학에 기준을 두고 공부를 시작했는데 그게 그렇지만은 않더라."

의료(헬스케어)는 의학 그 학문 자체 외에 수많은 것들을 내포하고 있고, 직접 환자와 더불어 돕고 진료하는 임상의로서 활동하려면, 의료에 대한 견문을 넓힌 뒤에 차차 의대를 가는 것도 좋은 방법이라는 이야기도 해주었다.

슬아도 나와 같은 생각을 했다며, 인류학을 메이저로 정하고 의학인류학을 전공하게 되었다. 슬아는 리하이에서 처음으로 Medical Anthropology Association이라는 인류학 클럽을 만들어 회장으로 활약하면서 과학, 의학, 그리고 사회학을 총망라하는 포럼을 만들었다. 이를 통해 학생들은 물론 여러 교수와 한 달에 한 번씩 모여 초청 강사의 세미나를 듣고 토론하는 플랫폼을 열었다. 대학교 3학년 신분으로 리하이대학교 및 동부의 여러 대학교의 교수들까지도 참여할 수 있는 훌륭한 토론의 광장을 만든 것이다.

9. 어머니의 소천

슬아가 대학에 입학한 지 불과 몇 주 후에 어머니는 돌아가셨다. 나는 오피스에서 내시경 검진을 하던 중이었는데 어머니가 계신 너싱홈에서 전화가 왔다. 어머니는 1년 전에 넘어져 고관절이 골절되어 수술을 받고, 가료 중이셨다. 아직 혼자 사시던 콘도에 들어가실 입장이 되지 않아 너싱홈에 계신 상태였다. 간호사 선생이 나에게 말을 전했다.

"어머님이 숨을 거두셨어요."

"네?"

나는 할 말을 잃었다. 그 날 아침에도 어머니와 전화 통화를 했었는데. 이게 어찌된 일일까?

어머니는 지난 반년 간 수시로 불편하다고 해서 최근에도 검진을 여러 번 받아보았으나 주치의들의 소견으로는 다 괜찮다고 했었다. 6개월 전 심장박동수가 빨라지면서 한 번 위험한 부정맥 상황(Ventricular Tachycardia)에 처한 적이 있었다. 그 후로 automatic defibrillator시술을 잘 받으셨고, 차후 검진에도 이상이 없다고 했었다.

갑자기 생긴 부정맥 문제로 심장 박동에 큰 변화가 온 것일까? 혹시 음식을 드신 후 토하면서 aspiration을 하셨나? 옆에 아무도 없는 상태에서 호흡곤란을 겪으시다가 돌아가셨나? 이런저런 생각에 마음이 괴로웠다. 무엇보다도 내가 어머니 옆에 함께 있어 드리지 못한 것이 너무 죄스러웠다.

어머니는 대화를 나누어도 92세라는 나이가 무색할 정도로 명석하셨다. 돌아가시기 전 몇 주 정도는 어머니가 너무 예민하셔서 심적 불안정 상태라고 단순히 생각했던 내가 너무 무심했었나 하는 죄책감을 느끼지 않을 수 없었다.

어머니는 아버지가 돌아가시고 꼭 20년을 더 사셨다. 내가 자식으로 잘 못해 드린 것들만이 생각났다. 무조건 죄송한 마음뿐이었다. 나도 어머니도 둘 다 성질이 좀 까탈스런 편이어서 비교적 많이 다투었던 기억들이 새삼 떠오르면서 어머니에게 더욱더 죄송하다.

왜? 나는 어머니에게 좀 더 다정하게 잘해 드리지 못했을까? 뵐 때마다 안아 드렸어야 했건만, 그것마저도 자주 못했다. 때로는 무뚝뚝하기까지 했던 못난 아들을 용서해 주실는지 모르겠다. 딱 한 가지 위로가 된다면, 이제 하늘나라에서 아버지와 평안히 지내실 수 있게 되었다는 믿음뿐이다. 갑자기 몰아치는 슬픔에 방에 들어가 통곡했을 때 슬아가 따라 들어와 나를 꽉 껴안아 주었다. 슬아가 너무 고마웠다.

어머니는 슬아가 고등학교를 졸업하고 대학을 가는 것을 보셨다. "내가 슬아가 대학을 가는 것까지 보았으니. 정말 감사하지." 돌아가시기 바로 전까지 입버릇처럼 하신 말씀이다. 슬아가 예쁘고 건강하게 성장하는 깃을 보면서 매우 좋아하셨던 모습이 눈에 선하다. 슬아도 할머니를 잘 따랐다. 어머니 옆에 다정히 앉아서 애교 떨던 슬아를 어머니는 하늘나라에서도 기억하실 게다. 아내에게 고맙다는 말로만 될까? 결혼해서 줄곧 큰 불평 몇마디 없이 두 아들들보다 더 친히 시어머님을 돌보아준 아내의 진심 어린 손길이 고맙다. 아버지가 돌아가시기 바로 직전 마지막으로 숨을 거칠게 쉬고 계실 때 찬송가를 불러 드리기 시작한 아내의 모습이 또 다시 떠오른다.

10. 족보를 보여주어라

슬아가 초등학교 3학년 때, 학교에서 프로젝트 숙제를 받아왔다. 집에서 가장 중요한 것 중 하나를 골라서 발표하라는 과제였다. 좀 고민스럽다는 듯이 아내와 나에게 물어왔다. 벽에 걸려있는 어떤 유명한 화가의 그림? …. 뭐 좋은 것이 있을 텐데 하는 생각으로 막연하게 우리는 집을 두루 돌아보았다. 그러다가 퍼득 좋은 생각이 떠올랐다. 1년 전에 내가 한국을 방문하면서, 현씨 종친회에 들러 족보 총 9권을 박스에 싸 가져온 것이 생각났다. 그래서 슬아에게 말했다. "좋은 생각이 떠올랐다, 슬아야, 학교에서 우리 가족의 족보를 보여주면 어떨까?"

족보가 뭔지 잘 모르는 슬아에게 자세히 설명해 주었다. 나의 아버지, 그의 아버지, 또 그 할아버지의 아버지. 이렇게 쭉 올라가면 서기 920년대에 현담윤이라는 할아버지가 계신데, 그분이 바로 우리 현씨의 시조라고 자세히 설명해 주었다. 물론 현담윤

현철수_ 홉킨스로 문득 찾아오신 아버지

할아버지 위에도 많은 할아버지들이 계시지만, 그때의 기록은 보존되어 있지 않을 뿐이라고도 말해 주었다. 족보에는 920년부터 지금까지 1000년이 넘도록 현씨 가족의 기록이 남아있는 거라고도 말해 주었다. 즉, 할아버지가 누구와 언제 결혼을 했고 또 거기서 출생한 자녀들은 누구이고, 태어난 아들은 또 누구와 결혼했고 또 그 분들은 무슨 일들을 했는지 등을 기록한 것이 족보이고, 이렇게 슬아에게까지 내려온 30대 제너레인션이라고.

족보에 대한 이야기를 들은 슬아는 잠시 어안이 벙벙한 듯 머릿속으로 열심히 뭔가를 생각하는 듯 한동안 말이 없더니 나에

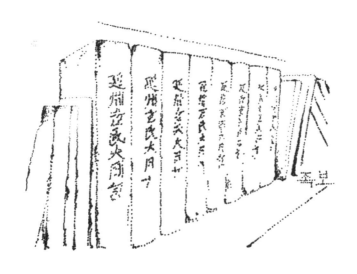

게 물어왔다. "천 년?" 천 년의 세월이 어느 정도인지 감각이잘 안 오는지, 아니면 이걸 어떻게 생각해야 하는지를 몰라 하는 것 같았다.

"그래, 슬아야. 천 년. 1년이 12개월이지? 네가 내년이면 10살 되지? 그러니까 10살이 10번이면 100살, 100번이면 1000년이 되는 거야. 이젠 좀 알 것 같니?"

내 말에 고개를 천천히 끄덕이면서 놀랍다는 표정을 지었다. "천년의 기록?!" 놀랍다는 듯 슬아는 입을 벌렸다.

슬아와 나는 파워포인트 슬라이드 프레젠테이션을 만들기 시작했다. 토픽은 "My Family Root." 족보의 첫 부분에 나와 있는 현담윤 할아버지의 초상화를 찍어 첫 슬라이드로 올렸다.

"현담윤 할아버지는 900년도 초에 태어나 고려의 대장군으로 많은 활약을 하신 분이다"라는 설명도 곁들여 가면서. 그러려니 당시 고려에 대해서도 간단히 설명해 줄 수밖에 없었다. '슬아야, Korea가 어디서 온 줄 아니? 고려에서 왔어. 그리고 고려는 고구려에서.'

나도 우리 가문의 족보를 처음 대한 것은 40이 넘어서였다. 아버지가 "너도 이 족보를 하나 가져 있거라." 하면서 주신 족보를 다시 들여다보기 시작한 것은 아버지가 돌아가시고 10년이 넘어서다. 물론 나는 한국에서 태어나 동양에서 자라났고, 18세가 넘어서 미국에 왔지만, 우리 이민 가정의 아이들은 미국에서 태어나서 한국말이 아직 서투르거나 아예 못하는 경우도 많다. 그런 아이들이 족보를 쉽게 이해할 수는 없을 것이다. 그렇다면 한국에서 자라난 아이들은 자신의 족보에 대해 과연 얼마나 알까? 벌써 오래전에 전자족보가 나와서 친인척 관계를 비교적 쉽게 들여다볼 수 있는 세상이 되었지만 말이다.

족보의 이해에 앞서 보다 절실한 것은 족보의 중요성을 깨닫게 하는 부분이다. 우리 아이들이 한문으로 가득 찬 족보를 보고 이해할 수는 없겠지만, 부모가 간단하게나마 족보에 대해 설명해 준다면, 슬아가 이해한 것처럼, 한국이든 해외에 살든 우리 아이들 모두 가족의 역사와 체계에 대해 조금이나마 알게 되지 않을까? 자신의 뿌리가 기록된 족보에 대한 올바른 이해는 가족의 문화적 중요성은 물론, 가족의 형태가 바뀌면서 희미해져 가고 있는 이 시대 패밀리의 이미지를 좀 더 부각 시킬 수 있지 않을까. 아무튼 아이들에게 족보를 보여주기 위해서라도, 우리 자신이 먼저 족보를 제대로 알아야 할 것이다. 왜 가족의 루트를 보여주어야 하는지는 직접 한번 자녀들과 함께 공유해 보면 곧 알게 될 것이다.

11. 권태로운 삶의 해방구

"뭘 그리 열심히 뛰십니까? 뛰는 게 그렇게도 좋습니까? 뛰는 특별한 동기라도 있나요?"

주위 사람들이 자주 내게 하는 질문이다. 기회가 있을 때마다 열심히 마라톤을 하는 내가 좀 의아한가 보다. 하긴 언제부터 내가 이렇듯 마라톤에 열심이었는지 나 자신도 궁금할 때가 있으니 남들이 볼 때는 오죽할까.

내가 마라톤을 뛰기 시작한 동기는 체력 단련이었지만, 마라톤을 지속적으로 뛰게 된 이유는 스트레스를 줄이고 정신적으로 편해지는 것을 체험하기 때문이다. 단순히 건강만이 목적이라면 구태여 힘들게 마라톤을 뛸 필요는 없었을 것이다. 그런데 마라톤을 뛰면서 얻는 혜택은 좀 색다르다. 일상생활의 긴장을 줄이고, 뛰면서 자연과 교감하고 오롯이 나만의 시간을 가질 수 있는 특별함이 있다.

바쁜 일상에서 잠시 벗어나 혼자 있어야 할 시간이 필요하지만 주머니의 아이폰마저 그냥 놔두지를 않는 것이 현대인의 삶이다. 이렇듯 바쁘게 돌아가는 일상에서 잠깐이나마 해방(?)될 수 있는 시간이 필요한 게 현대인이다. 그 탈출구가 나에게는 마라톤이다. 뛰는 것은 나만의 사색의 시간이고, 매일 매일의 생활을 잠시나마 조용히 돌아볼 수 있는 시간이다. 묵상하며, 지나간 시간을 되돌아보고, 앞으로의 계획도 세우는 그런 시간이 될 수도 있지만, 때로는 그냥 아무 생각 없이 묵묵히 뛰면서 머리를 비울 수 있는 시간이 되기도 한다.

땀으로 온몸이 범벅이 되도록 뛰고 나면 마음이 편해지는 느낌이 오는데 그게 마라톤의 매력이다. 어떻게 보면 힘들여 머리 식히는 방법이라고 할 수 있을 것이다.

마라톤의 매력은 단순한 머리 식히기에 그치지 않는다. 마라톤은 자신과의 싸움이고 또 극복해 볼 만한 시련이다. 그 시련을 극복했을 때 얻게 되는 성취감은 남다르다. 나의 경우 그렇게 힘들었음에도 계속 도전해 보고 싶은 충동이 생긴다. 마라톤에서 얻는 땀의 결실은 뛰어보지 않으면 도무지 알 수 없다.

내가 뛰기 시작한 건 17–8년 전부디디. 롱아일랜드에 살면서 맨해튼과 뉴저지로 출근하다 보니 어떤 날은 차에 앉아 보내는 시간이 두 시간이 넘을 때도 많았다. 그러다 보면 몸이 찌뿌둥하고 권태를 느끼게 되었는데, 이런 건 나뿐만이 아닌 현대인의 공통적인 문제일 것이다.

어느 날 '아, 이렇게 살면 안 되겠다.' 하고 뛰기 시작한 게 나의 마라톤의 시작이라고 할 수 있다. 우선 집에 있는 러닝머신에서 시작하였다가 내가 사는 지역에서 열리는 10km짜리 레이스에 참가하기 시작했다. 그러다 1년 정도 후 하프마라톤에 참가하여 다섯 번 정도 뛰었다. 그리고는 '어디 이제 한번 해볼까' 하고 난생처음 마라톤에 도전하였다. 2003년 11월 뉴욕 마라톤이다. 그 후 92번의 마라톤을 뛰었다. 뉴욕, 보스턴, 워싱턴DC, 필라델피아 등 미국의 동북부 지역에서 열리는 마라톤은 대부분 다 뛰었고, 멀리는 캐나다의 퀘벡, 급기야는 이태리, 스페인, 프라하 국제 마라톤에도 출전하였다. 그야말로 마라톤 마니아가 되었다고나 할까?

나는 마라톤을 엔조이하는 방법으로 RV차(recreational vehicle, 레저용 차량) 여행을 곁들이는 경우가 많았다. 슬아가 6살 때 어느 RV Show에 갔다가 Winnebago라는 중형 RV차를 구입하게 되었다. 가까운 곳으로 여행을 다니면서 좋은 추억을 많이 만들어주자는 계획 아래 감행한 일이었다. 침실, 샤워실, 화장실, 부엌 시설, 식탁 그리고 슬아가 좋아하는 운전석 위에 위치한 침실도 있으니 그야말로 달리는 콘도 그 자체다. 지금 생각해 보니 RV를 타고 다닌 마라톤 레이스만도 20곳이 넘는다.

우리는 마라톤 경기 하루나 이틀 전에 현지에 도착하여 근처에 위치한 RV파크에 체크인하고 뷰가 좋은 장소를 찾아 전기, 수도 그리고 하수도를 연결한다. 짐을 풀고 밥을 짓고 집에서 가져온 갈비찜과 김치를 꺼내서 식사를 맛있게 한다. 자연 속에 파묻힌 분위기에서는 생쌀만 씹어도 감지덕지인 판에, 집에서 가져온 밑반찬과 김치, 금방 오븐에서 나온 따끈따끈한 갈비찜까지 있으니 산해진미가 부럽지 않은 식사다.

마라톤대회 그 자체가 하나의 큰 축제다. 마라톤을 준비하는 과정, 레이스를 뛰는 시간, 그리고 휘니시라인으로 골인한 다음의 시간, 이 모두가 celebration이다. 마라톤을 앞두고 준비하는 과정은 큰 부담 없는 정도의 긴장감과 기대감으로 혼합되어 나름대로 설레기까지 한다. 레이스가 시작되기 전 러너들이 모여서 몸을 풀며 스타트를 기다리는 모습들은 긴장감과 두려움, 자신감, 희망 그리고 한번 부딪쳐서 이겨보겠다는 결단과 도전 등 이런 모든 느낌이 혼합되어 있다.

레이스가 시작되어 막상 뛸 때는 강한 삶의 생동감을 느끼게

된다. 인생은 마라톤이라는 말이 있듯이 서두르지 않고 자신감

을 가지고 여러 역경을 예상하면서 자신과 싸워나가는 러너들의

모습을 볼 때면 왠지 고개가 숙어지기도 한다. 마라톤이야말로

삶을 가장 적극적으로 즐기는 좋은 방법이 아닐까?

　종주한 다음에도 축제는 이어진다. 시원한 음료수를 마시면서 각자 나름 대로의 성취감 속에서 웃는 모습으로 서로에게 잘 뛰었다고 축하 인사를 건네는 풍경은 분명히 축제 분위기다. 정말 할 수 있을까 했는데, 자신과 잘 싸워 어려움을 극복해냈을 때의 그 성취감은 땀을 흘려보지 않은 사람들은 이해하기 힘들 것이다.

12. 뿌리와 같은 가정

　요즘 우리 주위에는 한국에서 오는 조기 유학뿐 아니라 미국 타주의 보딩스쿨에 자녀들을 보내는 경우를 많이 본다.

　아이들을 좀 더 독립적으로 키우며 자녀가 사회에서의 생활에 빨리 적응하고 배우도록 돕는 데는 좋은 보딩스쿨 만한 데가 없다는 말을 한다. 일리가 있는 말이긴 하다. 고등학교를 졸업하고 대학에 나가는 것은 사회 진출의 첫 스텝이니만큼, 고등학교 때부터 독립하여 다른 학생들과 공동생활을 하면서 사회생활에 일보 빠른 적응법을 배우는 데는 보딩스쿨이 유리할 것이다.

　그런데 이 경우, 자녀는 가정생활을 제대로 하지 못한 채 성장하기 쉽다. 오해는 하지 마시라. 보딩스쿨을 다닌 학생이 가정의 중요성을 모르고 부모와 주고받는 사랑이 부족하다는 말은 아니다. 다만 매일 매일 가정에서 함께 생활하면서 보고 느끼면서 배울 수 있는 가정의 소중함에 대해 어느 정도의 결핍은 불가피하다는 말이다. 가정에서 부모의 무한한 애정과 돌봄, 형제 자매와 함께 나누는 우애 등은 그 어떤 것에 비할 바 없는 인생의 소중한 무형의 자산이지 않은가. 사랑의 결핍은 아이들이 성인이 되어 사회에 나가 생활할 때, 또 자신이 결혼하여 생활할 때에도 커다란 영향을 줄 것이기 때문이다. 인생에서 가장 중요한 요소는 일류대학 졸업장이 아니다. 바로 '사랑'이다. 그런데 그 '사랑'을 어떻게 어디서 배우게 하느냐는 말이다.

'봄은 지심에서 온다'는 말이 있다. 이 말은 뿌리가 깊어야 싹을 밀어 올린다는 말과 일맥상통하는 말이다. 가정교육과 사랑은 바로 이 뿌리를 깊이 내리고 다지는 일이다. 그래야만 우리들의 싹이 잘 자라날 수 있을뿐더러 어떠한 난관도 극복해 나갈 수 있을 것이다.

오늘과 같이 전 세계가 서로 얽히고 믹스되어 가는 글로벌 시대일수록 우리의 근본을 알고 생활하는 것은 중대하다고 생각한다. 교육이란 우리가 인생을 살아가는 데 있어 필요한 도구와 지식을 배우는 것만은 아니다. 사회에서 성공하기 위해 교육을 받는다면 성공의 의미란 무엇인가? 치열한 경쟁을 뚫고 일류대학에 진학하는 것이 성공의 지름길인가? 그렇지 않다. 홍익인간이란 말이 있듯이 더불어 살면서 유익한 삶을 개척해 나가며 행복한 삶을 사는 것이 성공일 게다.

교육의 근본은 가정교육에서 온다. 우리 아이들이 행복한 삶을 살게 하기 위해선 행복한 가정을 보고 배우며 자라나게 해 주어야 한다. 그야말로 '사랑만한 교육이 없다'는데, 이러한 사랑을 매일 보고 느끼고 체험할 수 있는 곳이 과연 가정 만한 데가 있을까?

자녀를 외국으로 조기 유학시키거나 혹은 보딩스쿨로 전학시키는 일은 떨어져 있는 기간만큼은 가족 간의 유대감을 상실케 하고 가족의 가치를 감퇴시키는 일일 것이다. 아이가 가장 사랑을 필요로 하는 그 중대한 시기에 가족과 함께 못한다면 장래 이 아이에게 어떤 결과를 초래할지 아무도 예측할 수 없다. 농경 시대의 대가족 가정까지는 바라지 않아도 그래도 오붓하게 부모와 자녀가 한 지붕 아래 모여 살면서 또 그 관계 속에서 형성되는 건전한 인성이야말로 그 아이가 인생을 살아가는 데 꼭 필요한 에너지원이 될 것이기 때문이다. 이렇듯 인성형성의 텃밭이 되는 가족 문화의 건설은 부모들의 깊은 부모관 성찰에서부터 시작되어야 할 것이다.

V

우리 문화유전자 찾기

이러한 문화유전자를 표출하고 분석하여 자신의 정체성 확립에 적용해야 한다. 그래야만 우리들이 살아가는 데 필요한 자긍심을 가질 수 있기 때문이다.

우리 문화 유전자 찾기

1. 코리안 아메리칸의 건강

내가 개업한 지도 어느새 25년이 흘렀다. 그동안 나는 환자에게 정확한 건강정보를 제공하는 것이야말로 의사로서 일반인들이 스스로 건강을 증진 시키고 질병 예방을 하는 데 가장 큰 힘이 됨을 깨달아왔다.

"제 상태가 어떤지 속 시원히 설명해 줄 수 없나요?"라며 답답한 심정을 호소하는 환자들과 자주 접했다. 환자가 진료과정에서 의사와 여러 번 상담한 후에도 자신이 알고 싶은 것을 찾지 못했을 때 느끼는 답답한 심정은 환자가 아니면 이해하기 힘들

현철수_ 홉킨스로 문득 찾아오신 아버지

다. 유명하다는 의사들을 다 찾아갔지만, 자신의 상태와 의문에 관해 별 신통한 해답을 듣지 못한다면 환자는 어떻게 해야 할까?

결국 나는 미주한인사회에서의 임상경험을 토대로 『속병클리닉』이라는 책을 쓰게 되었고 '열린책들' 출판사에서 2005년에 출간하였다. 특히 현대인에게 큰 문제가 되고 있는 위장과 간에서 일어나는 '속병'을 중심으로 한 생활습관병을 예방하는 데 조금은 도움이 될 것이라는 바람으로 펴낸 책이다. 또한 진료를 받거나 상담을 원할 때 적합한 병원과 의사를 찾아 문제를 풀어나가는 데 도움이 되기를 바라서였다.

미국의 의료시스템은 복잡하기 짝이 없다. 국가 보험으로는 유일하게 나이 65세가 넘으면 받을 수 있는 메디케어와 저소득층과 장애인에게 주는 메디케이드가 있을 뿐, 대부분의 건강보험은 민영화되어 있다. 보험의 종류와 비용이 매우 다양하다 보니, 일반인들은 자신의 보험으로 어떤 혜택을 받을 수 있는지 잘 모르는 경우가 허다하다. 특히 한인동포 중 많은 분들이 건강보험이 없는 실정이다 보니, 예방 측면에서도 자신의 건강을 돌보는 것은 결코 쉬운 일이 아니다.

2008년에는 『B형간염: 잡을 수 있다』를 출간했다. 한국을 방문하였을 때 알아보니 한국에는 그때까지 B형간염의 진단과 치료에 관해서 한 권의 책으로 출간된 책은 없었다. 서울에서 뉴욕행 비행기를 타고 오면서 아웃라인을 잡은 것을 시작으로 책의 첫장부터 끝장까지 모두를 B형간염바이러스 진료에 관한 내용만을 다루었다. 특히 지난 20여 년간 발달되어온 항바이러스제 치료에 관해 많은 정보를 실었다. 2013년에는 B형간염 진료에 관한 책을 업데이트해서 『B형간염의 치료』를 출간했다.

이어서 2010년에는 『한국인의 위장 간 질환』을 출간했다. 제목 그대로 한국인에게 가장 많이 발생하는 주요 위장질환과 간질환에 관한 책이다. 위암, 대장암, 간암, 췌장암을 비롯한 여러 소화기 암질환들과 위장, 간 및 소화기관에서 발생하는 질환들에 관한 정보들을 수록하였다. 일반인이 흔히 가질 수 있는 증상 및 질환 자체에 대한 설명과 더불어 역학적인 정보, 예방법, 진단, 최신 진료에 이르기까지 다양한 정보를 실었다.

책을 출간하면서 나의 삶에는 큰 변화가 왔다. 우선 일반인의 입장에서 알고 싶은 것이 무엇인가를 고민하는 시간과 성찰이었으며 환자들의 고충을 좀 더 이해하게 되었다. 의사로서의 입장이 아닌, 환자의 입장을 신중히 고려한다는 건 그리 쉽지만은 않은 일이다. 이후 나는 환자와 의사간의 의사소통의 장벽을 조금이나마 넘을 수 있게 되었고, 이로써 나의 임상 경험도 좀 더 성숙해지는 계기가 되었다. 둘째로, 책을 쓰는 과정에서 나는 한인 커뮤니티 의료의 중요성을 깨달았다. 인종과 문화의 차이에 따라 질환도 다르다 보니, 미국 백인 위주의 헬스케어 시스템은 우리 동포들에게 공정하지 않을 때가 많다. 헬스케어를 받는 과정에서 건강보험, 언어 등 여러 장벽이 한국인 뿐만 아닌 아시아인 등 특히 소수계 이민자들에게는 커다란 어려움을 주고 있었다. 이러한 상황에서 의료인들의 결집과 커뮤니티 헬스 캠페인은 매우 절실하다.

2. 울타리 안의 의사들

언어와 문화의 차이에서 오는 의료 불균형

나는 개업 외에도 여러 커뮤니티의 헬스 캠페인 활동을 하게 되었다. 2007년부터는 뉴저지 티넥의 홀리네임병원에 코리언 프로그램과 함께 아시안 간센터를 열어서 한인동포들을 대상으로 B형 간염 캠페인을 시작했다.

스크리닝을 통해 수많은 바이러스 보유자들을 발견하게 되었고, 이 분들에게 정밀검사를 받게 하였다. 유감스럽게 여러 명의 간암 환자가 발견되었다. 그리고 활동성 보균자들에게는 항바이러스제를 처방하여 간암이나 간경변 등을 예방하도록 도움을 줄 수 있었다. 평균 한 달에 두세 번 정도는 의사들에게 그리고 대중 앞에서 스크리닝과 예방 접종, 그리고 항바이러스제 치료에 대해 강연을 하게 이르렀다. 10년에 걸쳐 길리어드와 브리스톨 마이어스 등의 제약회사를 통해 그랜트를 받아 홀리네임 병원, 잉글우드 병원, 한인봉사센터, 그리고 내가 설립한 바이러스 간염센터(Center for Viral Hepatitis) 등을 통해 바이러스 간염질환에 대한 캠페인을 하고 있다. 슬아도 캠페인 활동을 도우면서 미국의 이민 사회에서 발생할 수 있는 헬스케어에 관한 여러 이슈에 대해 배우기 시작했다.

보건의료 이슈는 단순한 의학적인 문제가 아니며, 사회적 문제일 수 있다는 것을 슬아도 조금씩 깨달아 가기 시작했다. 틴에이저 때부터 커뮤니티 헬스 캠페인에 참여하기 시작했는데, 처음에는 병원에서 열렸던 헬스 페어에서 안내와 간단한 통역을 시작으로 차차 나중에는 청소년들의 B형간염바이러스 문제에 관해 교회나 봉사센터에서 강연도 하면서 자신만의 캠페인의 영역을 굳혀갔다. 2014년 여름, 슬아는 캄보디아 프놈펜의 시립병원을 방문해서, 캄보디아 어린이들의 높은 B형간염 바이러스 보유율과 예방에 대한 발표도 하였다.

나는 2018년에 미국 전역에서 여러 의사들과의 협력 아래 아시안 아메리칸 위암 테스크포스를 조직했다. 미주 한인사회에 위암 스크리닝 검진에 대한 중요성을 일깨우고 나아가 미국 보건당국에 위암 발병률이 높은 아시안계 미국인들의 조기위암 스크리닝 검사의 필요성을 알리는 일이었다.

위에서 언급한 바와 같이, 한인커뮤니티에서 발생하는 많은 의료문제들은 인종, 언어, 문화의 차이_ 그리고 미국의료시스템에 대한 부족한 인식 등의 장벽에서 근거를 들 수 있다. 또한 자신이 가지고 있는 건강문제를 속 시원히 말할 수 있는 의료진도 적은 현실이다. 그러다 보니, 많은 동포들이 증세가 오랜 기간 지속되어도 병원을 찾지 못하는 경우가 많은 것을 본다. 내가 주도하고 참여했던 헬스 캠페인을 통해서는 각종 질환에 대한 사전 지식을 제공하고, 동포들이 미국 사회의 의료시스템을 제대로 알고 접근할 수 있도록 포커스를 맞추었다. 특히 의사회를 통해서는 한인커뮤니티와 이민 사회에 만연하는 다양한 헬스 이슈의 복잡성에 관해 알리고, 한인 의료인들이 직접 나서서 커뮤니티를 위해 봉사할 수 있는 환경을 구축하는 사업을 시작하였다.

의사들이 앞장서야 하는 커뮤니티 활동

많은 사람이 '의사들은 사회성이 부족하다.'라고 한다. 틀린 말이 아니다. 의과대학 시절부터 의사들은 의사들끼리 어울리며 생활한다. 졸업하고 인턴이 되어서도 의사들은 계속 병원이라는 울타리 안에서 살게 된다. 병원 안에서도 작은 울타리들은 많다. 내과, 외과, 영상의학과 등의 대분류만이 아니라, 내과, 외과 안에서도 각각 수십 가지의 전공으로 또다시 세분된다. 그러다 보니, 내과의사는 내과의사끼리, 외과는 외과의사끼리, 또 직급별로 전임의는 전임의끼리, 교수는 교수끼리, 학과장은 학과장끼리 등의 소규모 모임으로 나누어진다. 병원끼리도 서로 간의 네트워크를 형성하여 더 큰 헬스케어 시스템을 이루지만, 그것도 결국 좀 더 큰 울타리의 하나에 지나지 않는다. 크기만 커졌을 뿐이지 결국 우물 안에 사는 개구리일 뿐이다.

특히 대학병원의 많은 의사는 병원과 학교 그리고 이와 관련된 조직 외에 일반 대중사회와는 별 상호작용 없이 살아갈 수도 있는 셈이다. 개업을 한 의사들은 일단 지역 커뮤니티에 발을 담그고 있다 보니, 주변 사회에 주의를 기울이기 마련이고, 지역 커뮤니티에 대한 관심도가 조금 높아지는 것은 사실이다. 그러나 그들도 전문의협회, 의사협회들을 통해 의사들 간의 모임을 중심으로 사회생활을 하는 것을 본다. 의사들의 컨벤션을 가보아도, 모두 의사들뿐이다. 강사도 의사고, 키노트 스피커도 의사고, 상을 받는 사람도 모두 의사다. 충분히 이해할 수 있는 현상이다.

울타리는 일종의 보호막과 같다. 병원 간의 네트워킹도 결국이 울타리를 더 크고 탄탄하게 만들려고 하는 일이고, 이러한 보호 체계가 제공해 주는 헬스케어의 조직안에서 의사들은 자신의 업무의 영역을 감당하고 비교적 안정된 그러나 제한된 사회생활을 추구하기 마련이다. 그러므로 울타리를 넘는 건 그리 쉬운 일도 아니겠지만, 더러는 위험할 수도 있다는 말이 된다. 그러다

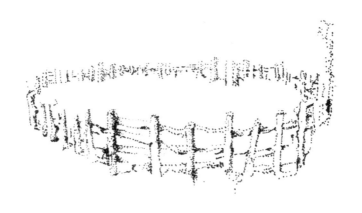

현철수_ 홉킨스로 문득 찾아오신 아버지

보니, 의사들이 지역 커뮤니티, 그리고 더 나가서 도시, 주, 국가, 그리고 세계라는 더 큰 틀의 커뮤니티를 이해하고, 그들과 심도 있는 대화를 통해 의료문제를 풀어나가기는 쉽지 않은 현실이다.

성공적인 임상은 의학, 문화 및 다양한 사회적 요소들이 복합적으로 잘 고려되어 진료, 예방, 치료의 각 단계에 적용될 때 가능하다. 즉 임상은 의학, 과학만 가지고 해결되는 것은 아니라는 것이다. 씨앗과 흙의 비유를 살펴보자. 아무리 좋은 품종의 씨앗이라도 흙의 상태가 좋지 않아서 싹을 틔울 수 있는 양분들을 제대로 공급하지 못한다면 싹이 날 수 있을까? 반대로, 우리 마음밭의 상태가 좋으면 질병을 막을 수 있거나, 설사 발병했다 하더라도 비교적 수월하게 이겨낼 수 있다.

그런데 지금까지의 의사들은 씨앗에만 지나치게 집중한 나머지, 흙의 상태에는 미처 주의를 기울이지 못했던 경향이 있다. 실제로 궤양을 진단할 때, 궤양 자체를 치료하는 데만 급급했을 뿐, 궤양에 걸린 사람의 마음의 상태와 환경을 이해하고 이를 개선하는 데는 소홀했다. 환자의 불편한 마음 상태까지 파악하기 위해서는 의사가 달라져야 한다. 환자의 마음 밭을 세심히 살피기 위해서는 환자의 모든 삶의 과정을 총체적으로 살펴야 한다.

즉, 그 환자가 속한 가정, 사회, 문화, 경제 등의 배경을 통합적으로 이해해야 한다는 결론이 나온다.

울타리를 넘어설 수 있는 의사들의 용기와 적극적인 지역 사회 참여가 매우 절실한 현실이다.

법과 의료의 교차점

나는 여러분의 추천을 기반으로 2017년 6월 크리스티 뉴저지 주지사로부터 의료감독위원회(State Board of Medical Examiners) 위원으로 임명받았다. 의료감독위원회는 주검찰 소비자 보호국 산하 기구로 의사 10여 명을 포함한 총 21명의 위원으로 구성되어 있다. 뉴저지주 의료계의 최종 심의기관 역할을 하는 의료감독위원회는 3년 임기를 기본으로 하며 뉴저지에서 활동하는 모든 의료인들을 대상으로 의사 면허 발급, 갱신 심의 및 부당 의료행위에 대한 처벌을 담당하는 기관이다. 또한 핵심적인 의료 법안에 대한 자문 등의 역할도 겸하게 된다.

한 달에 한 번씩 정기 미팅이 열렸고 수시로 분과 별 논의가 이루어졌다. 의료법과 의료윤리의 문제 등 여러 의미 있는 사건들도 접할 수 있었다.

또한 나는 감독위원회 활동을 통해 의료계와 법조계가 어떻게 협력하여 시민의 권익을 보호할 수 있는지에 대한 새로운 안목을 발견할 수 있었다. 예측할 수 없는 복잡한 오늘날의 헬스케어 이슈들을 풀어나가기 위해서는 과학, 테크놀로지는 물론 법, 정책, 그리고 다양한 사회 분야와의 협력의 필요성을 다시 한번 깨닫는 기회가 되었다.

3. 미국의 한인 의사들

재미한인의사협회 KAMA

미주 한인커뮤니티의 건강을 도모하기 위해서는 한인의사들의 협력과 노력이 필요하였다. 그래서 나는 2008년부터 재미한인의사협회(Korean American Medical Association: KAMA카마)의 임원으로 활동을 시작했다. 2011년에는 회장으로 선출되었고, 나는 전 미국 한인 의료인들이 단합할 수 있는 플랫폼을 만들기 시작했다.

카마는 미국에서 활약하는 약 22,000명 한인 의사들의 전국적인 모임이다. 재미 한인 의사들 간의 친목과 학술대회를 통해 의학관련 연구성과를 발표하고, 의학기술의 추세와 동향에 대한 정보교환을 도모하며, 나아가 한국인 의료의 우수성과 리더쉽을 구축하고자 하는 단체다.

재미 한인 의사들의 역사는 한국에서의 서양의학사와 같은 시기에서 뿌리를 찾을 정도로 오래되었다. 1893년에 서재필 박사가 조지 워싱턴의과대학의 전신이었던 컬럼비안의대를 졸업함으로써 조선인으로는 처음으로 미국에서 의사가 되었다. 조선 땅에서 의사가 배출되기 10여년 전 일이다. 또한 서재필 박사는 당시 조선인으로는 처음으로 미국 시민이 되었다. 두 번째 한인으로 미국에서 의사가 된 분은 박 에스터로 1900년 볼티모어 여자의과대학을 졸업하고 의사가 되었다. 그 후로도 많은 분이 미국에서 의대를 졸업했다. 그중에는 험난하기 짝이 없던 시대에 역동적인 삶을 살면서 희생과 헌신을 보여주신 선각자들도 많이 있다.

카마는 한국에서 의대를 졸업하고 미국에 이민 온 1세 의사들에 의해 1974년에 발족됐다. 이민 1세 한인 의사들은 한국에서 의대를 졸업하고 1960년 중반 후에 미국에 이민 오신 분들이 대다수이다. 카마는 40년이 된 단체임에도 불구하고 NY, NJ, Chicago, 필라델피아 지역을 제외하고는 다른 지역의 한인의사회와의 직접적인 교류는 별로 없었던 상태였다. 따라서 의사들마저 카마의 존재와 필요성에 대해 의문을 갖게 되었고 심지어는 매년 한 번 열리는 컨벤션의 참여율마저 매우 저조한 지경에 이르렀다. 따라서 '전국적인 한인 의사회'라는 명칭이 무색할 정도로 소규모의 지역적인 카마로 전락될 위기에 놓여 있었다.

지난 50년간의 의사 이민 역사 속에서 세대가 바뀌었고 이제는 '같은 한국 사람, 같은 학교를 나왔으니 모여야 된다.'라는 식의 설득은 더 이상 통하지 않는 시대가 되었으며, 1세 의사들은 대부분 은퇴한 상황이었고, 1.5세, 2세들이 미국의 주류사회에 기반을 세워가고 있다 보니 구태여 '내가 왜 코리안 아메리칸 의사회에 속해야 하는가?' 회의하는 의사들도 있었다. Korean American이라는 불분명한 정체성과 Globalization이란 물결 속에서, 자칫 잘못하면 코리안 정체성의 중요성마저 휩쓸려 없어질 분위기였다.

카마의 회장으로서 나는 지금이야말로 급속하게 늘어나고 있는 2세 후배들에게 멘토 역할을 감당하고 카마의 비전이 조속히 실현될 수 있도록 모두 함께 힘을 합해야 하는 중대한 시점이라고 생각했다. 먼저 카마가 전국적인 단체로 활성화되기 위해서는 미국 각 지역의 한인의사회와의 연합을 위해 상호간의 협력 관계를 조성하는 일이 급선무였다. 이러한 목적 아래, 2009년부터 2011년, 2년간 미국 여러 지역의 한인의사회를 직접 찾아 방문하고 서로 간의 협력을 구축하는 사업을 본격적으로 시작했다.

미주 한인의대생회 발족

미국의 1.5세, 2세대 한인 의사들은 전문성 차원에서 검증된 바 있는 국제적 전문가로서 한국의 귀중한 자산이 아닐 수 없다. '어떻게 하면 카마의 인적자원을 최대한 활용하여 보다 역동적인 협회로 발전하게 할 수 있을까?' 많은 고민을 해 보았다. 미국 내 한인 의료인들의 구심점이 되는 협회로 발전되기 위해서는 다방면의 활동 및 인적 네트워크를 가져야 한다는 결론을 내리게 되었다.

또 내일의 주인이 될 의대생들의 단체를 만들어 주기 위해 뉴욕의 여러 한인 의대생들과 접촉했다. 우선 내가 있던 코넬대학에 재학 중인 2세 한인 의대생 6명을 시작으로 NYU의대, Mount Sinai의내, Downstate 의대, 뉴저지 의대 등의 학생들을 한 달에 한 번가량 맨해튼의 식당에 모이게 하고는 저녁을 사

주면서, 간단한 세미나와 재미한인의료인들의 활동을 소개하는
등 정기적인 모임을 만들었다.

"이제 너희가 리더쉽을 가져야 할 때다."라고 설득하여 재미
한인의대생회(Korean American Medical Student Association-
KAMSA-감사)를 발족시켰다. 말대로 '감사'한 일이 아닐 수 없었
다.

새로운 시각의 필요성

리컴비넌트 이노베이션(Recombinant Innovation)이란 말이 있다.
리컴비넌트 DNA기술은 여러 종류의 생물체에서 나온 유전물질을
결합하여 새로운 유전물질을 탄생시킨다. 즉 혁신은 어느 분야에서
든지 현존하는 아이디어나 기술들이 새로운 방법으로 재결합되어
발명되어지는 것을 뜻한다. 무한한 가능성을 창출하는 디지털 혁신
을 좋은 예로 들 수 있는데, 이렇게 발명되는 아이디어나 기술은 또
새로운 창출의 기초가 될 수 있는 것이다.

의사들이 몸 담고 있는 의학 분야의 경우, 의학 문제를 의학의
힘으로만 풀 수 없는 경우는 허다하다. 의료는 더더욱 그렇다.

과학과 테크놀로지는 물론, 사회 및 정치적 영향력에 의해 발생하는 최신 정보와 동향을 총체적으로 고려하지 않는다면, 현재 우리가 당면하고 있는 힘든 의료 문제점들을 해결하는 효율적인 헬스케어를 창출할 수는 없을 것이다.

카마 조직을 성공적으로 발전시키기 위해서는 우선 미국 전역에 흩어져 있는 한인의사들의 단합도 중요하지만, 의사회 밖의 여러 다른 분야와 상부상조할 수 있는 네트워크의 구축이 절실했다. 이를 위해서 비즈니스, 정치 사회 각 분야의 리더들을 만나고 각자의 사업계획도 소개하고 협력하는 방향으로 유도해야만 했다. 의사들만의 테두리에서 벗어나겠다는 의지, 그 자체로도 하나의 혁신일 수 있다는 생각이 들었다. 혁신적이라는 것은 긍정적인 변화가 수반되어야만 한다. 보편적인 의료인의 틀에서 벗어나 새로운 시각을 추구할 수 있는 패러다임의 전환이 필요하다고 믿게 되었다. 매력적이고도 유연한 환경을 마련하여 젊은이들이 창출해 나갈 수 있도록 모든 혁신 과정을 지원해 주어야만 했다.

우선 카마나 세계 한인의사회 컨벤션 같은 큰 모임에서도, 의사가 아닌 엔지니어, 예술가, 비지니스 및 사회복지 전문가 등과 함께 할 수 있는 플랫폼을 만들어 그들과 의료에 관한 생각과 전문지식을 함께 나눌 수 있도록 콘퍼런스와 포럼을 열었다. 몇 가지 예를 들자면, 한국과 미국 FDA의 제약인들을 초빙해서 제약의 제조 및 테스팅 과정에 관한 포럼을 열었다. 미국의 '정치와 사회적 요인에 영향받는 건강과 질병'에 대한 포럼도 여러 차례 열었다.

2016년 2월에는 서울대학교 통일의학센터와 함께 '북한 의료'에 대한 콘퍼런스를, 같은 해 6월에는 워싱턴DC의 국회의사당 빌딩에서 일본의 위안부 결의안(H. Res 121)을 주도했던 마이크 혼다 의원 등 6명의 의원들이 참석한 〈건강과 질병의 불평등〉이라는 주제의 포럼을 가진 바 있다.

4. 국립박물관에서 열린 의사회 컨벤션

2011년 서울 컨벤션

    카마를 전국적인 강한 조직으로 연합하기 위한 목적으로 제1차 사업계획으로 나는 서울에서 2011년 연례 컨벤션을 열기로 결정했다. 그러나 여러 단체와 동료들의 도움이 없이는 실행에 옮길 수 없는 어려운 과제였다. 실행할 수만 있다면 카마의 발전에 큰 기여를 할 것이라는 믿음을 저버릴 수 없었다. 미국에 거주하는 1.5-2세 의사들이 1주일 이상 휴가를 내야 하고, 가족과 함께 컨벤션에 참가하기 위해 한국을 방문하는 일은 결코 쉽게 결정할 일이 아니었기에, 나 자신마저도 '정말 이게 될까?' 하는 회의에 고민도 많이 했다.

    이 행사를 위해 나는 한국을 여러 번 오가면서 많은 관계자들과 만났다.

컨벤션 베뉴를 찾으면서 재미있는 일이 일어났다. 대부분 학회의 컨벤션은 주로 호텔이거나 학교 빌딩을 사용한다. 그러나 이번 컨벤션은 달랐다. 참가 의사와 그의 가족들은 대부분 1.5세나 2세로 한국을 어려서 떠나왔거나 전혀 방문한 적이 없었다. 물론 그들이 묵을 호텔을 컨벤션 베뉴로 잡아도 좋겠지만, 가능하면 모든 참가자에게 뜻깊은 모국 방문이 되도록 계획하고 싶었다. 이런저런 생각으로 복잡하던 어느 날, 텍사스에 계신 선배 의사선생님에게 전화가 걸려왔다. 다음 주에 한국국립중앙박물관 관장이 뉴욕 메트로폴리탄 뮤지엄을 방문하는데, 그분을 한번 만나보면 어떻겠냐고 조언을 해 주셨다.

나도 최근 국립중앙박물관을 두 차례 방문한 적이 있었고, 한번은 박물관 아래층에 위치한 콘퍼런스센터에서 열린 '실크로드' 강연에 친구와 함께 간 적이 있어 박물관 콘퍼런스센터에 대해 조금 알고 있는 터였다. 그러나 한 번도 만나보지 못한 분에게 대뜸 '의사들이 콘퍼런스를 하는데 박물관 콘퍼런스홀을 빌려 달라.'고 한다면, 글쎄 그게 될까? 아무래도 어려울 것 같았다. 그래도 한 번 부딪쳐나 보기로 했다. 박물관장과 연락이 되어 다음 주 수요일에 맨해튼 만다린 오리엔탈에서 점심약속을 잡았다.

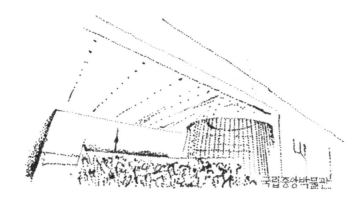

　박물관장은 역사학 교수로 한국 고대사를 연구하는 분이었다. 나는 우선 카마의 현황을 소개했다. 1.5−2세들의 한인 민족적 정체성 이슈에 대한 많은 이야기를 나누었다.

　"이번에 열리게 되는 서울 컨벤션은 재미한인의사회는 물론 모든 미국 동포들에게도 역사적인 일이 아닐 수 없다. 이 컨벤션을 이례적이면서 뜻깊은 행사로 만들고 싶다."고 강조하고는 본론으로 들어가 혹시 박물관의 콘퍼런스센터를 3일간 빌릴 수 있는지 조심스럽게 물어봤다. 특히 이번 행사에는 많은 의사들의 어린 자제들도 참여하는데 국립중앙박물관에서 컨벤션을 개최한다면, 어린 자녀들은 물론 아직 한국을 잘 모르는 1.5　2세 한인 의사들이 모국의 역사와 문화를 쉽게 체험할 수 있는 일이고,

이는 곧 한국을 미국에 알리는 좋은 일이 아니겠냐는 말을 덧붙이며 도움을 요청했다.

나의 간곡한 이야기를 모두 듣고 잠깐 생각하더니, 박물관장께서 '너무 좋은 일인 것 같다'며 그 자리에서 흔쾌히 허락해 주었다.

드디어 카마 국제컨벤션 행사는 2011년 8월 4-7일간 서울 국립중앙박물관에서 개최할 수 있게 되었고, 많은 시사점을 남겼다. 과거와 다르게 1.5-2세 재미한인의사들이 많이 참여한 학회였으며, KHIDI(보건산업진흥원), KMA(대한의사협회), KIMA(국제병원협회), 그리고 여러 대학병원의 지원과 협조로 성황리에 이루어진 큰 잔치가 되었다. 이 행사를 통해서 학회의 다양성과 높은 수준도 크게 인정을 받았다. 차병원, 서울대의대, 연세대의대, 가톨릭의대, 길병원, 아산중앙병원, 삼성의료원 등 10여 개의 의대와 종합병원들이 후원했고 각 대학의 총장과 학장, 병원장들이 콘퍼런스에 참여하였다. 또 보건복지부 장관을 비롯해 정부에서도 큰 도움을 주었다.

경기도에서는 큰 행사를 따로 마련하여 컨벤션이 끝난 후 모든 참가자를 초청하여 자녀들에게는 문화체험을 하도록 주선했고, 저녁에는 만찬을 열어 주었다.

현철수_ 홉긴스로 문득 찾아오신 아버지

애들은 자장면 먹으면 된다?

나는 카마 의사회 컨벤션을 네 부분으로 나누어서 계획했다. 첫째는 학술대회로 의학관련 연구성과를 발표하는 세션이다. 둘째는 스페셜티 포럼으로 어떤 지정 토픽 아래 의료 전문가들이 모여 의학 기술의 추세와 동향에 대한 정보교환을 하면서 네트워킹 할 수 있는 세션이다. 그 예로 글로벌 헬스 포럼이나 국가 간의 건강의 불균형 문제를 다루는 포럼을 들 수 있다. 세계 여러 국가에서 발생하는 의료 문제에 초점을 맞추어 미국과 한국의 의료문제를 비교하면서 연구할 수 있는 계기를 마련할 수 있다. 셋째로는 후학 양성을 도모하기 위한 목적 아래 학생들과 의사들 간의 멘토-멘티 관계를 맺어주는 네트워킹 시간이었다. 그리고 마지막으로 갈라의 순서가 있었다. 이외에도 친목을 도모하기 위한 여러 종류의 프로그램도 준비하였다.

행사의 규모가 크다 보니 비용이 만만치 않았다. 대부분의 비용은 스폰서를 찾아서 해결했다. 그런데 정작 10여 년 전부터 비교적 쉽게 받았던 제약회사에서 스폰 받기가 용이하지 않았기에 컨벤션 예산으로 골머리를 앓았다.

2011년 서울 컨벤션을 두 달 앞두고 카마 임원들이 뉴욕에 모여 예산에 대해 논의하는 시간을 가졌다. 그때 의사들의 갈라 디너프로그램은 롯데호텔에서 갖기로 결정을 보았지만, 학생들의 디너 프로그램은 아직 결정되지 않은 상태였다. 이 컨벤션에 학생들이 총 100여 명 참석할 예정인 것을 임원들이 이미 알고 있었다. 이 중 40여 명은 미국, 호주, 영국, 중국 등 해외에서 참여하는 한인 의대생이었고, 60여 명은 한국의 의대생들이었다.

예산이 넉넉지 않으니, 학생들의 갈라를 어떻게 해야 하는지를 논의 중이었는데 한 의사가 다음과 같은 의견을 제시했다. "예산도 넉넉지 않은데 학생들은 중국집에 가서 자장면 먹으라

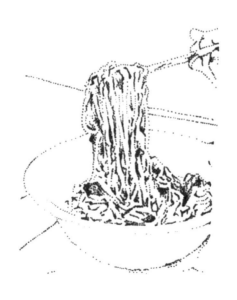

현철수_ 홉킨스로 문득 찾아오신 아버지

고 하면 되지, 구태여 비싼 호텔에서 갈라를 열어 줄 필요는 없지 않느냐? 더구나 학생들 대부분이 한국 의대생들인데 그 비용을 왜 우리(KAMA)가 대주느냐?"고 하는 게 아닌가.

나는 놀라지 않을 수 없었다. 이 말을 한 의사는 한국에서 의대를 나왔고, 자신도 의대생일 때 "교수들은 호텔에서 회의를 하고 디너를 먹어도 학생들은 중국집에 가서 짜장면 먹었다."고 했다.

나는 이 어처구니없는 발언에 극구 반대하였다. 우선 오해는 하지 말기 바란다. 나 자신도 중국집 음식을 좋아하고 고급호텔 요리보다 자장면이 훨씬 더 맛이 좋을 수도 있다는 것도 잘 안다. 그리고 학생과 교수의 차이점도 이해한다. 그러나 여기서 포인트는 그게 아니다. 첫째, 우리가 계획하고 있었던 학생들을 위한 디너 프로그램은 의사들과 함께 식사를 나누면서 서로 간의 네트워킹을 도모하는 데 그 목적과 의미가 있다는 것. 둘째, 한국이든 미국이든 다 같은 우리 후배 의대생들이라는 것. 그리고 셋째, 후배들은 선배가 하는 대로 배운다는 것―즉, 우리가 후배들에게 공정하게 마음을 써 줄 때 그들도 배운다는 것. 다행히 모 대학병원으로부터 후원을 받아서 롯데호텔에서 학생들에게 훌륭한 갈라의 밤을 열어 줄 수 있어서 모든 프로그램이 해피엔

딩으로 끝이 났다. 지금의 학생들이 먼 훗날 교수가 되어서는 '학생들은 중국집에 가라'는 말이 안 나오길 바랄 뿐이다.

2012년 로스앤젤레스 컨벤션

서울 컨벤션을 성공리에 끝내면서 많은 한인의사들의 지지와 호응을 받게 되었고, 카마의 멤버쉽 또한 성장하게 되었다. 카마 회장의 임기는 원래 1년이지만, 내가 계획했던 일들을 계속 추진 하라면서 이사회에서 나를 1년 더 유임시켰다. 나는 계속해서 미 국내 여러 도시를 돌아다니면서 의사들과의 네트워킹을 펼쳤다.

우선 한인 의사의 역사가 가장 오랜 워싱턴DC를 찾았다. 저 녁에 포럼을 열어 그 지역사회의 의사들과 정치인들도 초청해 카마의 존재를 알렸고 서로 협력할 수 있는 방안을 찾는 데 주력 했다. 그 후 애틀랜타, 시카고, 휴스턴, 로스앤젤레스, 샌프란시 스코, 시애틀 등을 여러 차례 방문하여 지지를 요청했다.

2012년 여름 컨벤션의 베뉴를 한인의사들이 가장 많이 살고 있는 남가주의 Los Angeles로 잡았다. 카마의 40년 역사를 되 돌아보면 뉴욕, 필라델피아, 그리고 워싱턴DC를 비롯한 East

현철수_ 홉킨스로 문득 찾아오신 아버지

Coast에서만 회장이 선출되어왔을 뿐, 한인 의사가 가장 많이 밀집되어 있는 로스앤젤레스 지역에서는 한 번도 회장으로 선출된 적이 없었던 점을 감안한 결정이었다.

전국적인 네트워킹을 펼치기 위해서는 로스앤젤레스를 공략하지 않으면 불가능한 일이었다. '미국의 모든 한인 의사들이 하나되기'라는 모토를 걸고 로스앤젤레스 컨벤션을 계획했다. 이는 카마가 전국적인 Korean American의사들의 '연합'으로 성장하기 위해 꼭 필요한 과정이기도 했다. 이를 위해 LA지역 한인의사회의 협력을 이끌어냈다.

Health Disparity Forum, Global Outreach Forum, 재미한인의대생회(KAMSA), 세계 한인의대생회(WKMSO), 그리고 조직 초기단계에 있었던 세계한인의사회(WKMO) 포럼을 프로그램에 넣었다. 1940년대에 USC의대를 졸업하신 올림픽 챔피언 Dr. Sammy Lee, Irvine시 시장, 서울대병원, 세브란스병원, 아산중앙병원, 가톨릭병원 등이 참여했다. 학회 행사 외에도 골프대회와 어린 자녀들을 위한 Legoland Trip등 다양한 프로그램을 마련해서 성공리에 마칠 수 있었다.

5. 글로벌 코리안 닥터

세계한인의사회의 출범

해외에는 3만여 명의 한인 동포 의사들과, 5천여 명의 의대생들이 활동하고 있다. 세계 각국에 흩어져 있는 한인 디아스포라가 750만을 넘은 것을 감안하면, 해외 한인 의사들의 숫자가 그리 많은 건 아니다. 한국에는 11만 명 이상의 의사와 의대생이 있다. 그러나 한인 의사들의 국제적인 협력 사례는 아직 크게 미흡한 상태이다. 지역적인 네트워킹은 어느 정도 구축되어 있으나, 글로벌 네트워크는 없는 실정이었다. 한국은 학연에 의한 유대감이 강하게 작용하여 국외는커녕, 국내에서조차도 의사들이 연합하기가 쉽지 않은 상태였다. 그럼에도 글로벌 네트워크를 구성하여 국내외 한인 의사들을 한데 묶을 구심점을 마련한다면 순기능으로 작용할 것이라는 생각을 하게 되었다.

결국 나는 이러한 목적으로 세계한인의사회를 창립하게 되었다. 해외의 많은 인재를 활용하여 그들이 가진 모든 탤런트를 극대화한다면 한국인의 리더쉽을 발휘할 뿐 아니라 나아가 민족네트워크의 구축에도 매우 중요한 역할을 하리라는 확신이 들었다. 이러한 글로벌 네트워크운동이 우리 모두를 서로 돕고 협력할 수 있는 새로운 변화의 계기가 되리라는 믿음 때문이었다. 세계 한인의사들의 역량을 묶는 구심점 역할 외에도 멘토-멘티 활성화를 통한 젊은 의사들의 글로벌 육성 또한 세계한인의사회의 중요한 과제이기도 했다.

2011년 서울컨벤션을 통하여 세계한인의사회(World Korean Medical Organization-WKMO)의 출범을 위해 창립준비위원회를 조직했고, 2012년 LA컨벤션에서 제1회 WKMO 창립총회를 개최하면서 나는 초대회장으로 선출되었다. 그 당시 대한의사협회, 재미한인의사협회, 일본, 중국, 영국, 캐나다, 브라질, 파라과이 등 11개국에서 한인의사대표들이 참석했다.

이로써 WKMO는 세계 각지에 흩어져 있는 모든 한인 의료인들 간의 네트워크 구축의 명실상부한 교두보 역할을 하기 시작했다. 한국의료의 글로벌 전략을 실현할 수 있는 네트워그 그 자체이기도 했다.

영국과 브라질

2014에서 2015년간 두 차례 런던과 상파울루에서 세계한인 의사회 포럼을 개최한 적이 있다. 한 번은 런던 Imperial College에서 영국의 한인의사회와 함께 콘퍼런스를 열었다.

〈유럽의 보건의학〉이라는 주제로 유럽에서 활약하고 있는 한 인의사들을 10여 명 강사로 초청하여 콘퍼런스를 열었는데 한인 학생들과 교수들 및 주영한국대사는 물론 주위의 많은 영국 학 생들까지 100여 명이 참여하여 고무적이었다.

영국에는 미국과 달리 한인의사들이 많지는 않지만, 여러 대 학에 재학 중인 한인 의대생들의 숫자는 늘고 있는 편이었다. 유 럽에서 태어난 학생들도 있지만, 대부분의 학생은 어렸을 때에 영국에 유학해 온 학생들이었다. 런던뿐 아니라, 맨체스터, 요 크, 에든버러 등 영국의 각 지역에서도 참여했다. 얼굴은 미국이 나 한국에 사는 사람들과 똑같이 생겼는데, 그들의 영국식 영어 악센트가 흥미롭고 새삼스러웠다.

유럽 여러 국가에서도 참석했는데 그 중 스웨덴에서 온 한인 의사 한 사람이 기억난다. 현재 스웨덴 남부지역에서 안과의사 로 개업하고 있다는 그는 3살 때 한국에서 스웨덴 가정으로 입양되었다고 했다. 여동생들이 여럿 있는데 그 중 한 명도 자신과 마찬가지로 한국에서 입양되었으며 지금은 간호사로 일한다고 했다. 한국어는 서툴렀지만, 우리가 공유하고 있는 '단군의 유전자' 때문이었는지 만나서 식사하고 대화를 나누면서 금방 친해졌다.

2014년 2월에는 브라질 상파울루에서 브라질 한인의사회와 보건산업진흥원 주최로 세계한인의사회 포럼을 개최하였다. 뉴욕은 아직 추위가 가시지 않은 날씨였는데 상파울루는 한창 더운 여름이었다. 〈남미 건강의 불평등〉이라는 주제로 열린 이 콘퍼런스에 약 120여 명이 참석했다. 그중에는 한국, 미국, 중국, 호주, 영국, 파라과이 등에서 참여한 한인의사 임원들 12명이 포함되어 있었다. 브라질의 수도 브라질리아에서 참여한 주브라질 한국대사, 상파울루 의대 교수진, 그리고 아인슈타인병원장 등 여러분들의 축사로 시작한 이 행사도 성황리에 이루어졌다.

1960년도에 브라질로 이민 온 1세 의사 여러분들도 참석했다. 언어도 안 통하는 브라질에 와서 어떻게 공부하고 살았는지 자신들도 모르겠다는 그 분들의 이야기가 감명 깊었다. '어려운 상황에서도 낙심하지 않고 열심히 하면 되더라.'는 그 분들의 말씀이 미국 이민 초기에 많은 역경을 이겨내고 꿋꿋이 살아오신 우리 부모님들의 이야기와 다르지 않다는 것을 새삼 느끼게 되었다.

1세 의사 선생들의 자녀들 중 많은 사람이 의사이며, 그중 대다수는 세계한인의사회의 회원이 되었다. 브라질의 총 한인의사들의 숫자는 그 당시 100명이 되지 않았던 것 같다. 상파울루의 대 및 여러 의대에 재학 중인 한인학생들과의 모임도 가졌다. 대부분 브라질에서 태어난 그들은 한국어나 영어가 서툴렀지만 그들의 유창한 포르투갈어에 미국에서 온 우리는 매료되었다. 학생들은 세계한인의대생회에 가입했고, 그 중 8명은 그 해 7월에 뉴욕 맨해튼에서 개최한 세계한인의사회 컨벤션에 참석하기도 했다.

상파울루 콘퍼런스 둘째 날 아침에는 상파울루 주립대 의과대학병원을 방문하게 되었다. 상파울루대학 의대 교수로 재직 중인 한인 2세 교수가 직접 투어 안내를 해 주었다. 상파울루대학교는 브라질의 최상위권 대학교로 선정되었으며 라틴 아메리카에서도 수위를 차지한다. 옛날 유럽 의학의 영향력을 엿볼 수 있는 좋은 기회였다.

오후에는 앨버트 아인슈타인병원을 방문하였다. 앨버트 아인슈타인 병원은 상파울루에 위치한 유대인 병원이다. 1955년 조

현철수_ 홉킨스로 문득 찾아오신 아버지

그만 유대인 공동체로 시작한 모임이 지금은 최첨단 기술과 의료진을 바탕으로 유대인 사회는 물론 브라질의 건강을 일부 책임지는 모델 병원으로까지 발전했다. 조그마한 민간 병원으로 시작한 병원이 공공기관과의 파트너쉽을 통해 지역사회에 커다란 결실을 맺은 셈이다. 고달픈 이민자의 생활로 시작해 급기야는 자신들의 커뮤니티의 테두리를 벗어나 병원으로서 사회적 책임을 확장해 나가는 모습은 우리 모두에게 귀감이 되었다.

6. 혼란스러운 코리안 아메리칸 정체성

흔히들 우리 주위에서 2세들의 한국인 정체성 혼란에 대해 많은 이야기를 하게 된다. 경우에 따라서는 Identity Crisis라고 할 정도다. 이곳 미국에서 태어나 정말 영어를 본토인같이 잘 구사하는 그들이 구태여 한글을 쓰고 배우고, 모국의 역사와 문화를 배우고 한국인으로 살아갈 필요가 있을까? 하는 질문도 많이 한다. 심지어는 어떤 부모님들은 이제 글로벌시대이고, 영어가 공용어나 다름없는데 뭐 그럴 필요가 있느냐 하는 말도 한다.

그러나 내 생각은 좀 다르다. 이 세계의 주인으로 살려면 우선 자신의 정체성을 잃지 않고 살아야만 한다고 믿는다. 그래야만 자기 주체성이 확립되기 때문이다. 그렇다면 우리 자녀들이 어떻게 자신의 정체성을 지니고 살 수 있을지 우리 모두 고민해 봐야 한다. 갈수록 더 심해지는 세계화의 물결 속에서는 건강한 정체성 확립은 더욱 절실하다고 믿기 때문이기도 하다.

그렇다면 정체성을 어떻게 설명할 수 있을까? 우선 정체성이란 자신과 주변 사회와의 관계에 대한 인식이라고 할 수 있다. 자신이 주변 사회와 뭔가 다르다는 것을 인식할 때, 구별되는 고유성, 남이 아닌 자신의 삶이 어떤 것인가에 대한 자각, 이런 복합적 요소가 정체성을 알게 하는 힘이라고 생각한다. 그러니까 어떻게 보면 주변 사회가 많이 다른 외국에서 살아보지 않은 사람은 자신의 민족적, 사회적 정체성에 관해 심각하게 생각해 볼 기회가 드문 것도 무리가 아닐 것이다. 그런 면에서 해외에 사는 한국인들은 한국에 사는 한국인들의 거울의 역할을 해 줄 수 있다는 생각도 해 본다.

한국에서 툭하면 세계화를 외치는데, 우선은 자신의 정체가 무엇인지 확실히 파악해 가면서 나서야 하지 않을까 하는 생각도 가져본다.

나는 누구인가?

정체성 혼란에 대해 내가 읽은 책으로 이장래의 소설 『영원한 이방인』(Native Speaker)이 있다. 한마디로 Korean American

2세 헨리 박이 미국에서 살아가면서 체험하는 정체성 혼란을 그린 작품이다.

미국에 이민 와서 열심히 일한 부모는 아들 헨리를 명문대로 보내지만, 언어와 문화의 장벽을 넘지 못하는 헨리의 부모, 즉 어떻게 보면 전형적인 이민 1세들과는 달리 헨리는 미국인과 자유자재로 의사소통이 가능한 이민 2세로 살면서 백인 미국인 여성과 결혼해 살아간다. 언뜻 보기엔 헨리가 미국사회에 뿌리를 내린 듯 보이지만, 결국 자신의 정체성에 대한 혼란과 심한 갈등을 겪게 된다. 그 어느 집단에도 속하지 못하고 '영원한 이방인'으로 변방을 서성이며 살아가는데, 흥미로운 것은 헨리의 직업마저도 자신의 정체를 드러내지 않는 '사설탐정'으로 살아간다는 점이다.

헨리는 미국인들과 생활하고 영어로만 생각하는 100% 미국 2세나 다름없다. 그러나 미국인이 봤을 땐 이런 헨리조차도 이방인인 것이다. 즉 native speaker이지만 자신이 사는 나라에 전체적으로 융화될 수 없으면 진정한 native speaker가 아니라는 좀 더 포괄적인 메시지가 들어가 있다. 즉 영원한 이방인이란 말이다.

소설 속 헨리는 끊임없이 자신에게 질문을 던진다. '나는 누구인가.' 그는 한 번도 온전히 자기 삶의 '주인'이 되어본 적이 없다. 항상 자신이 누구인지 의심하고, 말할 때에도 자신의 발음이

현철수_ 홉킨스로 문득 찾아오신 아버지

정확한지 의식한다. 우리는 우리말(한국어)을 할 때 발음이나 어휘 선택에 대해서 의식하지 않는다. 맞춤법이 틀리거나 말이 헛나와도 개의치 않는다. 그러나 헨리는 자신이 미국에서 완벽하게 자리 잡은 미국인인 것을 보여주기 위해 영어를 잘해야 한다는 강박관념으로 결국 자유롭지 못하다.

소설의 시대적 배경이 좀 오래 전이긴 하지만, 2020년이 된 지금도 우리 미국에 살고있는 한국의 자손들 중 헨리 같은 케이스가 적지 않으리라 본다. 해외에서 자라나는 우리 아이들의 정체성 확립의 중요성은 그래서 더 절실하다. 왜냐하면 정체성 확립은 나아가 주체성을 갖게 하기 때문이다. 자신의 정체성 확립이 안 되면, 진정한 자유인이 될 수 없고, 때에 따라서는 불행해지기까지도 될 수 있기 때문이다.

묻혀있는 보물상자

1975년 내가 대학교 3학년 때에 sociobiology라는 학문이 처음 등장했다. 곤충학자 에드워드 윌슨(Edward Wilson)이 "인간을 포함한 모든 생명체의 사회적 행동은 유전자와 환경 사이의 오랜 상호작용의 결과로 나타난다."라고 주장했다. 이러한 그의 주장에 반대하는 학자들도 적지 않았다. 왜냐하면 인간은 유전적 요인보다는 환경적, 문화적 요인의 영향을 받는 존재라고 이해하고 있었기 때문이다.

월슨의 『사회생물학』이 출간된 이듬해인 1976년에 『이기적 유전자』(The Selfish Gene)를 출간한 옥스퍼드 대학의 리차드 도킨스(Richard Dawkins) 교수는, 월슨의 주장에서 한 발 더 나갔다. 그는 '인간은 유전자의 꼭두각시'라고 선언하면서, 인간은 유전자에 미리 프로그램되어 있는 대로, 자신의 유전자를 후대에 전달하는 임무를 수행하는 존재라고 보았다.

그런데 재미있는 것은 여기서 도킨스가 설명하는 유전자 중 하나는 우리가 알고 있는 DNA유전자가 아닌 모방 '유전자 밈(meme)'이란 점이다. 즉 문화적 진화의 단위가 밈이 되는 셈이다. 결국 밈은 유전적으로 전해지지 않고 모방을 통해 전해지는 문화의 요소, 아니 문화 유전자라고 할 수 있다. 그러니 나와 전혀 피 한 방울 섞이지 않은 몇천 년 전의 공자도 그리고 수백 년 전의 세종대왕도 나의 문화 유전자이고, 발효와 숙성 없이는 안 되는 김치 등 한국의 음식문화 속에서도 우리는 많은 문화 유전자들을 찾아낼 수 있다. 그리고 앞서 말한 '단군의 유전자'도

염색체의 유전자뿐 아니라 우리나라의 고대 역사 속에 파묻혀 아직 빛을 못 보는 문화 유전자들을 뜻하는 것이다. 우리가 이해하고 있는 염색체에 있는 유전자 계승의 방법으로는 8대만 내려가도 조상의 피가 1/100도 섞이지 않지만, 밈의 문화 유전자 계승은, 피가 섞이지 않아도 가능할 뿐더러 훨씬 더 빠르게 물려줄 수 있다. 또한 문화유전자는 영원히 죽지 않는다.

나는 가끔 이런 문화 유전자와 정체성의 관계에 대한 생각을 하면서 정체성 확립은 물론 우리들의 삶에 문화유전자가 미치는 영향은 실로 대단하다는 점을 발견했다.

그렇다면, 우리 한인 2세들의 정체성 확립에 도움이 될 수 있는 문화 유전자를 최대한 활용해 보자는 생각을 하게 되었다. 그한 예로, 서울컨벤션의 베뉴가 국립중앙박물관이었던 점, 그 자체가 한국을 잘 모르는 젊은 한인의사들과 그들의 자녀들에게 문화 유전자를 선사할 수 있는 계기가 되었을 것이라 자부한다. 아주 잘 달라붙는 스틱키 하고 센 놈으로 말이다. 또한 의사회를 통해 한인들의 리더쉽을 구현하고, 북한이나 아프리카 등에 의료활동을 펼치는 것을 본 의대생들에게 이보다 더 좋은 유전자를 선물할 수 있을까?

우리는 먼지 속에 파묻힌 깊은 뿌리의 문화 유전자들을 발굴

해야 하고, 새 시대에 맞추어, 새로운 문화 유전자들을 끊임없이 창출해 나가야 한다. 그런데 그에 앞서 현재 우리가 가지고 있는 문화 유전자들을 재건하고 최대한 보강해야 한다. 그런데 정말 우리는 그렇게 하고 있는 것일까?

어느 날 저녁, 아내와 나는 카네기홀을 찾았다. 한국이 낳은 세계적인 성악가 모씨의 오래간만에 하는 미국 공연을 관람하기 위해서였다. 2시간 동안의 훌륭한 그의 공연이 끝나고 수많은 관객들은 갈채를 보냈다. 세 곡의 앙코르를 들은 후에야 겨우 끝난 콘서트, 많은 사람들은 나오면서도 감탄을 아끼지 않았다.

현철수_ 홉킨스로 문득 찾아오신 아버지

그런데 나오면서 내 귀에 들려온 한마디는 나를 몹시 불편하게 했다. "한국사람 치고는 꽤 잘 부르는데…" 어느 50대 후반쯤 되어 보이는 한국사람이, 옆 친구에게 내뱉은 말이었다. 누가 들어도 세계적인 성악가에게 하필이면 '한국 사람치고는…'이라는 토를 달아야 했을까? 한국 사람은 잘 부를 수가 없는 그런 노래였나? 우리가 우리를 인정하고 위하지 않는다면 누가 우리를 거들떠보겠는가 말이다.

10여 년 전 일이 또 하나 생각난다. 뉴욕 지역을 대표하는 차세대 한인 프로페셔널들의 모임이 있었다. 유엔대사가 만찬의 자리를 마련해 주었다. 현대, 삼성, LG 등 한국의 대기업들에 대한 이야기가 나왔는데, 어떤 미국인들은 LG가 마치 일본 회사인 것처럼 아는 경우가 있다는 말이 나왔다(물론 지금은 그런 사람은 없겠지만 말이다). 그런 와중에 어떤 2세 한인 변호사가 이런 말을 했다. "LG를 일본회사라고 알면 어때? 많이 팔아 돈만 벌면 됐지." 몇몇 친구들은 그 말을 듣고 고개를 끄덕이는 것도 같았다. 나는 유엔대사를 보기가 좀 민망했다.

안타깝게도 우리는 세계가 인정하는 순 우리 고유의 것들에 대해서도 외국인만큼도 인정하려 들지 않고 있는 경우가 종종 있다. 일종의 열등의식에서 나온 발로일까? 성악가의 맑고 아름다운 목소리와 거기서 뿜어 나오는 에너지와 열정, 그리고 LG, 삼성이 창출한 디지털 문화 –그 속에는 한국의 민족성은 물론 우리 고유의 문화 유전자들은 수없이 많다. 이외에도, 우리 앞에는 우리의 정체를 드러낼 수 있는 많은 고귀한 문화 유전자들이 있다.

이러한 문화유전자를 표출하고 분석하여 자신의 정체성 확립에 적용해야 한다. 그래야만 우리들이 살아가는 데 필요한 자긍심을 가질 수 있다. 이렇게 얻어진 정체성과 자화상만이 험난하기 짝이 없는 사회현실 속에서 유연하면서도 탄탄한 세계관을 갖게 할 수 있기 때문이다.

Epilogue
– 다시 아버지에게 돌아가다

이 책을 쓰면서, 나는 과거 아버지의 모습을 통해 지금의 나를 발견하게 되었다. 그리고 현재의 나를 통해서, 또 다시 아버지를 찾아보게 되었다. 부모님이 겪으셨던 삶과 나의 지난날들을 돌아보면서, 과연 내가 누구인지 생각해 볼 수 있는 일생일대의 값진 시간이었다.

한동안 잊고 있었던 나의 역사의 많은 부분들도 다시 들추어 보는 기회도 되었다. 이러한 경험에 비추어 볼 때, 뿌리와 정체성에 관한 생각들은 나의 삶에 있어 중요한 지표가 되었다. 정체성은 생명과 안정을 주관하고 이것들은 행복과도 직결되기에 더욱 그렇다. 행복해지려면 존재의 의미를 확인해야 하는데 그러려면 나의 정체에 대한 확신이 앞서야 되기 때문이다.

이 책이 우리 아이들이 겪을 모든 교육과정과 그들의 장래에 있어서 조그마한 도움이라도 되었으면 하는 바람뿐이다. 나는 어디서 왔고, 왜 여기에 있으며, 지금은, 그리고 앞으로는 무엇을 하면서 살아야 행복한 삶을 영위할 수 있는지, 우리 모두 심각히 생각해 보아야 할 일이다.

나의 글을 세심히 읽어주시고 분에 넘치는 추천사를 써주신 시인 김정기 선생님께 깊은 감사를 드린다. 글쓰기에 여러 모로 부족한 나에게 많은 조언과 가르침을 주셨다. 또한 교정과 편집을 맡아 준 선우미디어의 여러분께 고마운 마음을 전한다.